Los consejos y remedios de la abuela

Caterina de la Glétais

Los consejos y remedios de la abuela

ROBIN BOOK

Licencia editorial para Bookspan por cortesía
de Ediciones Robinbook, S.L., Barcelona

Bookspan
501 Franklin Avenue
Garden City, N.Y. 11530

© 2000 Ediciones Robinbook, s.l.
  Apdo. 94085 - 08080 Barcelona
Diseño cubierta: Regina Richling.
Fotografía: Regina Richling.
Ilustración interior: Sofía Berthelot.
ISBN-13: 978-84-7927-466-5

Impreso en U.S.A.

primera parte

La salud

Mi abuela decía...

Cuando vuelvo la mirada hacia atrás y rememoro mi infancia y mi adolescencia, el recuerdo de mi abuela se hace omnipresente e ilumina esos años de una forma muy especial.

Mi abuela poseía una personalidad difícilmente clasificable. Por un lado, la historia de su vida fue muy similar a la de toda una generación de mujeres nacidas en los albores del siglo, una vida marcada por la guerra, la inmigración y el esfuerzo de un día tras otro por sacar a su familia adelante.

Pero por otro lado, esta mujer, que no había pisado la escuela más que ocasionalmente, era una auténtica fuente de sabiduría, no sólo porque había tejido toda una filosofía de vida de una gran coherencia, sino porque desde muy joven se había sentido poderosamente atraída por el mundo de las plantas, una vocación que le había llevado a acumular un sinfín de conocimientos y de remedios caseros para tratar las dolencias más comunes.

Mi abuela era oriunda de un pequeño pueblo de la sierra andaluza, aunque buena parte de su vida transcurrió en Francia, país al que tuvo que emigrar de muy joven porque, como ella misma contaba, en su pueblo se morían de hambre. A los cincuenta y cinco años regresó a España y, gracias a los ahorros de toda una vida, pudo remozar la casa que la había visto nacer, aunque sin traicionar la esencia de esas paredes casi centenarias. En ella sólo permanecía durante los meses más cálidos, pues pasaba el invierno en la ciudad, en casa de su hija, es decir, de mi madre.

Cuando llegaba el verano, se trasladaba a su casa del pueblo, normalmente acompañada de ese ir y venir por mis hermanos y yo, que teníamos el privilegio de pasar todas las vacaciones escolares con ella. Para unos niños de ciudad como nosotros, aquel pueblo de paredes encaladas y callejuelas serpenteantes rodeado por una sierra deslumbrante, y aquella casa llena de recuerdos significaban posibilidades infinitas de jugar y divertirse, bajo la mirada atenta y comprensiva de mi abuela.

De esos meses de verano conservo afortunadamente muchas vivencias y en todas ellas mi abuela tiene un papel protagonista. Después de tantos años, la sigo asociando al mundo de las plantas y es como si todavía la viera con sus gestos minuciosos y aplicados guardando hierbas en tarros de cristal opaco, preparando una cataplasma para una vecina con lumbago, embotellando uno de sus vinos medicinales...

Cuando mi abuela preparaba alguno de sus remedios a base de plantas, no hacía sino reproducir una tradición tan antigua como la historia misma de la humanidad. La fitoterapia es una ciencia nacida del puro empirismo y confirmada por siglos de experiencia y que forma parte de la vida cotidiana del hombre desde hace más de 7.000 años. En un principio, el hombre primitivo aprendió a recolectar plantas, flores, raíces y tubérculos para calmar su hambre, pero muy pronto descubrió que éstas también poseían virtudes medicinales capaces de aliviar sus males. La práctica de tratar las dolencias mediante plantas tuvo, en un primer momento, un cáliz mágico y religioso que fue patrimonio de hechiceros y sanadores, poseedores de una tradición oral que se transmitía de padres a hijos.

Al filo de la historia, culturas de muy distinto signo han encontrado en la naturaleza los elementos necesarios para curar las dolencias más habituales. En China, la fitoterapia posee una tradición milenaria, mientras que en Occidente numerosos pueblos, entre ellos los sirios, los sumerios, los caldeos y los egipcios, ya utilizaban las plantas con fines medicinales mucho antes de nuestra era.

En Grecia, 400 años antes de Cristo, Hipócrates, considerado el fundador de la medicina científica, ya había documentado cientos de aplicaciones medicinales de las plantas, convencido de que la naturaleza estaba en la base de todas las curaciones. Y es que a través de los siglos, las plantas han sido la base de la primera forma de medicina, tanto es así que, hasta bien entrado el siglo XVII, la botánica fue una rama de la medicina. De hecho, aún en la actualidad, un gran porcentaje de fármacos se elaboran a partir de plantas.

Durante la Edad Media, la fitoterapia arraigó de forma notable en la tradición oral de los pueblos, pero fue durante el Renacimiento cuando se produjo un cambio significativo al empezarse a sintetizar los principios activos de las plantas. Éste sería el primer germen de la industria farmacéutica, un gran avance en muchos sentidos, pero también el inicio de la toxicidad de los preparados y de un debate que hoy cobra plena actualidad.

En efecto, la medicina y la farmacología tradicionales, cuyos logros son incuestionables, resultan en ocasiones demasiado agresivas para el tratamiento de las dolencias más comunes. En estos casos, los remedios caseros a base de plantas se configuran como una auténtica alternativa de salud. Y es que las plantas constituyen una medicina suave pero rotundamente eficaz, exenta de todo tipo de efectos secundarios. A estas ventajas se suma el hecho de que no son tóxicas, ya que los distintos principios activos que contienen las plantas aparecen combinados de forma armoniosa por obra y arte de la naturaleza.

Las principales propiedades de las plantas

Las plantas medicinales se diferencian de las alimenticias en que no sólo contienen proteínas, lípidos y glúcidos, sino que también poseen determinados principios activos que ejercen una acción terapéutica sobre el organismo.

Todas las plantas contienen varios principios activos, pero tradicionalmente se clasifican en función de la principal acción terapéutica que ejercen sobre el organismo.

A continuación, encontrarás una descripción sucinta de las principales propiedades terapéuticas de las plantas que te permitirán irte familiarizando con una serie de términos de uso común.

Plantas antiespasmódicas

Las plantas antiespasmódicas son aquellas que tienen la propiedad de reducir los espasmos musculares y el movimiento intestinal al tiempo que ejercen una acción analgésica y antiinflamatoria sobre el organismo. Debido a estas propiedades, estas plantas se prescriben de forma general para aliviar los trastornos digestivos. Entre las plantas antiespasmódicas más corrientes figuran el anís, la manzanilla, el romero, el hinojo, la genciana, la tila...

Plantas antisépticas o desinfectantes

Algunas plantas ejercen una acción antiséptica o desinfectante por su contenido en una serie de esencias, como el tanino y el anetol, que actúan de forma similar a como lo hacen los antibióticos, aunque respetando la flora intestinal. Junto a esta acción antiséptica, estas plantas también suelen actuar como antiinflamatorias. Entre esta categoría de plantas destacan el nogal, el anís, la ortiga blanca...

Plantas calmantes

Los principios activos de esta categoría de plantas actúan sobre el sistema nervioso reduciendo la actividad de un órgano o de un sistema sobreexcitado. Cuando la acción calmante de sus principios activos es más activa se denominan sedantes. Estas últimas producen una relajación psicológica y un efecto antiespasmódico digestivo. Éstas son algunas de las principales plantas calmantes o sedantes más comunes: valeriana, flor de naranjo, tila, melisa...

Plantas carminativas o antiflatulencias

Las plantas carminativas son aquellas que favorecen la eliminación de los gases acumulados en el sistema digestivo a la vez que previenen su formación por procesos de fermentación. Las plantas carminativas poseen unos principios activos que aumentan el tránsito intestinal y provocan la relajación de los esfínteres, lo que disminuye la retención de sustancias tóxicas en el organismo. Entre las principales plantas carminativas están el anís estrellado, el comino, la menta, la melisa, el hinojo, el cilantro, la hierba buena...

Plantas diuréticas

Las plantas diuréticas son aquellas que restablecen el correcto funcionamiento de los riñones, con la consiguiente emisión de orina, y favorecen la eliminación de los líquidos del organismo. Entre las plantas diuréticas más utilizadas en medicina natural figuran la ulmaria, el abedul, la alcachofa, la cola de caballo...

Plantas estimulantes

Tal como su nombre indica, las plantas estimulantes son aquellas que estimulan el funcionamiento de los distintos sistemas del organismo. Los principios aromáticos que contienen ejercen una acción benéfica sobre el sistema nervioso y digestivo.

Entre esta categoría de plantas figuran las denominadas «estimulantes digestivas» que son todas aquellas que ejercen una acción irritante sobre la mucosa del intestino, lo que a su vez produce un aumento de las secreciones y, con ello, favorece la digestión. Entre las plantas estimulantes más utilizadas figuran el tomillo, la zarzaparrilla, la violeta, el anís...

Plantas expectorantes y balsámicas

Las plantas expectorantes son aquellas que aumentan la secreción de la mucosidad de los bronquios facilitando de este modo su eliminación. Entre esta categoría figura un grupo de plantas de alto contenido en aceites esenciales que, al ser eliminados por la nariz, estimulan la secreción de mucosidad. Otro grupo de plantas expectorantes actúa liberando un principio amargo que produce una irritación de la mucosa del estómago y, como consecuencia, el aumento de las secreciones de los bronquios. Algunas de las plantas expectorantes más comunes son el eucalipto, el pino, el tomillo, la violeta, la malva...

Plantas laxantes

Las plantas laxantes son aquellas que poseen sustancias antracénicas que al entrar en contacto con la flora bacteriana del intestino grueso producen un aumento de la secreción de la mucosa y del movimiento intestinal.

Entre la categoría genérica de las plantas laxantes destacan las que poseen un alto contenido en mucílagos. Éstos, al entrar en contacto con el agua, se hinchan y lubrifican la masa fecal aumentando el movimiento intestinal y favoreciendo la eliminación de sustancias tóxicas. Entre las plantas laxantes más comunes figuran el lino, el sauco, la malva...

Plantas reconstituyentes

Estas plantas poseen principios activos que activan el sistema nervioso central o bien una función orgánica determinada. Las plantas reconstituyentes, además de mejorar el tono vital, suplen un déficit alimentario o bien una carencia producida por una patología en concreto. Entre las plantas reconstituyentes más comunes figuran la avena, la verbena, el ginseng, el romero...

Plantas sudoríficas

Las plantas sudoríficas son aquellas capaces de aumentar un proceso febril y que se prescriben cuando conviene que el enfermo sude. Entre las plantas sudoríficas más utilizadas figuran la zarzaparrilla, la malva, la borraja...

Plantas tonificantes

Las plantas tonificantes actúan incrementando las distintas funciones del organismo. Poseen propiedades astringentes o amargas e incrementan la actividad del aparato digestivo y muscular restaurando el funcionamiento normal de los órganos debilitados. Entre las plantas tonificantes más comunes figuran el laurel, la menta, la bolsa de pastor...

Cómo preparar tus remedios caseros

A lo largo de su vida, mi abuela adquirió una gran pericia en el arte de elaborar sus remedios caseros. Con una facilidad sorprendente, en un santiamén tenía lista una taza de infusión humeante para aliviar un constipado o una cataplasma de plantas envueltas en gasa para aplicar sobre una espalda dolorida.

Al observar el cuidado y el mimo con el que mi abuela preparaba cada uno de sus remedios caseros, me di cuenta de algo muy importante: aun tratándose de métodos muy sencillos y puramente empíricos, cada gesto tiene su importancia para la eficacia final del tratamiento, desde la forma de almacenar la planta hasta la de preparar una infusión.

A lo largo de los siglos, las tisanas se han bebido por puro placer, pero también con fines terapéuticos para aprovechar las virtudes medicinales de determinadas plantas. La tisana puede prepararse siguiendo distintos métodos como son la infusión, la decocción o la maceración de las plantas. A estos tres métodos, se suman otras formas tradicionales de extraer las propiedades de las plantas como son los vahos, la tintura, las compresas, las cataplasmas, el aceite medicinal y el ungüento, unos métodos cuya descripción encontrarás a continuación.

Partes duras y partes blandas de las plantas

La medicina popular ha sabido utilizar las distintas partes de las plantas en función de los principios activos que necesitaba. Esto significa que la planta no es considerada como un todo, sino que tradicionalmente sus distintas partes son objeto de un tratamiento diferenciado y sus principios activos se extraen mediante una serie de métodos como la infusión, la decocción o la maceración. Una de las clasificaciones de las plantas más tradicionales es la que distingue entre partes duras y partes blandas.

Como indica su nombre, las partes duras son aquellas que tienen una consistencia más dura, éste es el caso de los tallos, las raíces, los bulbos, las cortezas, las semillas y los frutos. El proceso más usual para extraer los principios activos de las partes duras es la decocción.

Por el contrario, las partes blandas son aquellas que presentan una consistencia más blanda o flexible. Éste sería el caso de las hojas frescas o secas y de las flores cuyos principios activos se extraen habitualmente mediante la infusión.

La infusión

La infusión es el principal método utilizado para extraer los principios activos de las partes blandas de las plantas, es decir de las hojas y de las flores. Ésta es la forma más sencilla de preparar una infusión:

- Vierte agua hirviendo sobre una determinada cantidad de plantas, pero sin llevarla a ebullición. También puedes hacerlo al revés, es decir, calentar el agua en un cazo y, cuando empiece a hervir, retirarlo del fuego y añadir las plantas.
- Cubre el cazo o el recipiente que hayas utilizado y deja reposar la mezcla durante un tiempo que oscila entre 5 y 10 minutos, dependiendo de la planta.
- Filtra la infusión y bébela tibia y, si su sabor es demasiado amargo, endúlzala con una cucharilla de miel.

Una vez preparada, debes tomarte la infusión lo antes posible, para aprovechar al máximo sus efectos beneficiosos. Por esta misma razón, debes preparar la infusión *ex processo* para cada toma.

La decocción

La decocción es el principal método utilizado para extraer los principios activos de las partes duras de las plantas, es decir, de los tallos, de las raíces, de los bulbos, de la corteza, de las semillas y de los frutos.

Este método únicamente se diferencia de la infusión en un aspecto: el agua y la planta se llevan a ebullición conjuntamente durante unos minutos. Ésta es la forma más sencilla de preparar una decocción:

- Pon las plantas y el agua en un recipiente y llévala a ebullición durante un tiempo que puede oscilar entre 5 y 20 minutos. Éste depende básicamente de cada planta, siendo más largo cuando más dura es la parte utilizada.

  Durante todo el proceso, es muy importante que mantengas el cazo tapado. Mi abuela tomaba una precaución suplementaria: colocaba sobre el cazo una tapadera puesta del revés, o un plato, y la llenaba de agua. De este modo, limitaba la evaporación de agua durante la decocción.
- Filtra la decocción y bébela tibia o fría.

A diferencia de la infusión, puedes preparar la decocción por adelantado para las distintas tomas de un mismo día, o incluso de dos, y también puedes recalentarla, si así lo prefieres.

La maceración

La maceración es otro de los métodos caseros más utilizados y consiste en dejar en remojo una determinada cantidad de plantas en un líquido que puede ser agua, alcohol, aceite o vino. Aunque la forma más usual de maceración suele ser en frío, en algunos casos también se puede utilizar un líquido tibio o incluso acelerar el proceso calentando la preparación al baño María. El plazo de maceración puede oscilar entre unas horas y varios días.

La maceración suele ser el método elegido cuando los principios activos de las plantas son tan frágiles que el agua hirviendo puede alterarlos. De esta forma, las plantas se ablandan y liberan las partes solubles. El modo más habitual de preparar una maceración es éste:

- Introduce las plantas que vayas a utilizar en un recipiente procurando que éstas cubran las 3/4 partes del mismo.

- Completa con el líquido indicado en cada receta hasta el borde y deja macerar la preparación durante un plazo de tiempo que puede oscilar entre 24 y 72 horas, dependiendo de la planta. En algunos casos, se puede acortar el tiempo de maceración calentando la mezcla al baño María entre 30 minutos y 1 hora y dejándola macerar durante toda la noche.
- Para terminar, filtra el líquido exprimiendo el jugo de las plantas.

Este tipo de preparado apenas se conserva unos pocos días por lo que su utilización debe ser inmediata.

Los vahos

Los vahos constituyen una variante de la infusión que, a diferencia de ésta, no se beben, sino que se aspiran. Ésta es la forma más habitual de preparar unos vahos:

- Pon a hervir en una olla entre 2 y 5 litros de agua y llévala a ebullición.
- Añade las hojas de la planta cortadas en trozos pequeños, para que así liberen con mayor rapidez sus principios activos, y deja que hierva durante unos segundos.
- Retira el cazo del fuego, deposítalo sobre una mesa, siéntate delante, cúbrete la cabeza con una toalla húmeda y, acercándote a un palmo aproximadamente del cazo, aspira los vahos hasta que el agua se enfríe.
- Los vahos también se utilizan para humedecer y desinfectar el ambiente. Para ello, deposita el cazo humeante en la habitación que desees desinfectar.

La tintura

En algunos casos, los principios activos de ciertas plantas no se pueden extraer mediante el procedimiento habitual de infusión, decocción o maceración debido a la presencia de componentes resinosos que requieren la utilización de alcohol, una sustancia que en este caso actúa como agente disolvente. Por regla general, la tintura se compone de una cuarta parte de plantas y de tres cuartas partes de alcohol. Para elaborar tus propias tinturas procede del siguiente modo:

- Lava y seca cuidadosamente las plantas que vayas a utilizar. Pícalas finamente e introdúcelas en un frasco de cristal de boca ancha.
- Llena el frasco de alcohol hasta el borde y ciérralo herméticamente. Guárdalo durante dos semanas en un lugar cálido y oscuro.
- Pasado este plazo, ya puedes filtrar la tintura con una gasa o con un colador muy fino, exprimiendo las plantas para que liberen toda su sustancia.
- Vierte el alcohol obtenido en una botella de cristal opaco, ciérralo herméticamente y consérvalo en un lugar fresco.

Las compresas

La compresa es una de las formas más usuales de aplicación externa de las propiedades medicinales de las plantas. Su eficacia radica en que los principios activos de las plantas estimulan los tejidos y los órganos a través de la piel. La aplicación local de una compresa produce un aflujo de sangre y la consiguiente descongestión de la zona inflamada o purulenta. La forma de aplicar una compresa es muy sencilla:

- En primer lugar, prepara una infusión o decocción con las plantas que vayas a utilizar.
- Impregna una gasa estéril o un trozo de tela de algodón perfectamente limpio en la infusión o decocción, escurre ligeramente el líquido sobrante y aplícala directamente sobre la zona afectada, dos o tres veces al día.

Recuerda que si aplicas la compresa sobre una zona inflamada, el líquido debe estar completamente frío.

Las cataplasmas

La cataplasma es otra de las formas tradicionales de aplicación externa de las propiedades medicinales de las plantas. Su modo de actuar es muy parecido al de las compresas con la única diferencia de que las plantas y demás sustancias medicinales utilizadas se aplican directamente sobre la zona afectada, sin necesidad de preparar previamente una infusión o decocción. Para preparar una cataplasma, sigue estas sencillas indicaciones:

• En primer lugar, lava y seca cuidadosamente las plantas, hortalizas o ingredientes que vayas a utilizar. Raya, pica o tritura las plantas y demás ingredientes y, si así lo indica la receta, mézclalas con un líquido o sustancia.
• Coloca estos ingredientes sobre una gasa, dobla los bordes de ésta hacia el centro y aplica la cataplasma directamente sobre la zona que desees tratar. Para mantener la cataplasma en su sitio durante el tiempo indicado en cada receta, envuélvela con un vendaje.

El aceite medicinal o aromático

Algunas de las recetas de mi abuela incluyen la utilización de un aceite medicinal o aromático, normalmente para uso externo. El aceite medicinal, que no debes confundir con el aceite esencial cuya preparación es mucho más compleja, consiste en una base oleosa en la que se han dejado macerar durante unos días una serie de plantas.

En los establecimientos especializados encontrarás aceites medicinales elaborados a partir de una gran diversidad de plantas, aunque también puedes prepararlos tú mismo de una forma muy sencilla:

• En primer lugar, lava y seca las plantas o raíces que vayas a utilizar, tritúralas ligeramente e introdúcelas en un frasco de cristal de boca ancha. Es importante que el frasco esté perfectamente limpio y seco y que las plantas lo llenen por completo, aunque sin estar demasiado apretadas.

- Vierte el aceite de oliva virgen o bien el aceite de almendras dulces en el frasco hasta arriba y ciérralo herméticamente con un tapón de corcho.
- Conserva el frasco en un lugar templado y deja macerar el aceite con las plantas durante dos semanas, agitándolo una vez al día.
- Transcurrido este plazo, filtra el aceite con ayuda de una gasa y exprime cuidadosamente las plantas para extraer todo el jugo.
- Vierte el aceite filtrado en un pequeño frasco opaco y guárdalo en un lugar fresco y oscuro. Aunque hayas preparado mucho aceite, es importante que lo guardes en frascos pequeños. De este modo, al usarlo, no se irá oxidando por el contacto reiterado con el aire.

Los aceites preparados en casa son tan eficaces como los industriales, si bien es cierto que resultan menos concentrados. Para aumentar su concentración, puedes volver a repetir la operación que te acabamos de indicar añadiendo otra dosis de plantas al aceite filtrado y dejándolo reposar otras dos semanas.

Los ungüentos

La palabra ungüento ya sugiere por sí sola todo un mundo de remedios caseros pertenecientes a otra época. Respecto a las cataplasmas presentan la ventaja de ser más fáciles de aplicar y de poder permanecer durante más tiempo sobre la piel.

El principio básico del ungüento es muy sencillo pues consiste en mezclar las plantas finamente picadas con una sustancia grasa que puede ser manteca de cerdo, vaselina o aceite, normalmente de almendras dulces. Ésta es la forma más sencilla de preparar un ungüento:

- Lava y seca las plantas que vayas a utilizar y pícalas finalmente. Mezcla las plantas con la materia grasa elegida y caliéntalas al baño María durante 5 minutos.
- Inmediatamente después, cuela el aceite o la materia grasa derretida y déjala enfriar.
- Guarda el ungüento en un recipiente opaco con tapón hermético.

La conservación de las plantas

Cuando yo era niña, la cocina de mi abuela era el lugar más cálido y acogedor de toda la casa, pero también el más misterioso, pues en ella guardaba todos los elementos con los que preparaba sus remedios caseros. En esa cocina había una parte que despertaba especialmente mi curiosidad: la alacena.

Tras una puerta de madera de pino envejecida, se sucedían de arriba abajo un montón de estantes, forrados con una tela de cuadraditos azules y blancos. En ellos, mi abuela guardaba, en perfecto orden, ollas de distintos tamaños, tazas colgadas de un gancho, vajilla de diario, conservas, legumbres y, en los dos estantes superiores, sus frascos de cristal oscuro con plantas, sus vinos aromáticos y demás preparados caseros. A mí me divertía pensar que estos dos estantes cumplían la misma función que el tradicional armario de farmacia de las demás casas.

Mi abuela había escogido ese lugar para guardar los ingredientes necesarios para preparar sus remedios porque era un lugar seco, al abrigo de la luz y de la humedad.

Para que las plantas medicinales que tengas en casa conserven toda su eficacia, sigue estos consejos:

- Las distintas partes secas de las plantas deben guardarse en frascos de cristal opacos, nunca transparentes, por muy decorativos que resulten, ya que la luz podría dañar el pigmento de la planta. Sin embargo, puedes utilizar frascos de cristal transparente a condición de que los guardes en el interior de un armario. En su defecto, también puedes utilizar una lata inoxidable o, si necesitas almacenar mucha cantidad de una misma planta, una caja de cartón.
- Los frascos de cristal y demás recipientes donde guardes las plantas deben estar siempre herméticamente cerrados, preferentemente con un tapón de corcho.
- La luz y la humedad son los enemigos principales de la conservación de las plantas por lo que es necesario guardar los frascos de cristal y los demás recipientes en un lugar seco y al abrigo de la luz.

- Aunque la alacena de mi abuela estaba siempre muy bien surtida con las principales plantas que utilizaba habitualmente, ella no almacenaba nunca grandes cantidades de plantas, sino que las iba comprando al herbolario a medida que las necesitaba para garantizar así su frescura y la eficacia de sus principios activos.
- Si sigues estos sencillos consejos que te acabo de indicar, las plantas conservarán su eficacia durante un año, nunca por un tiempo superior.

Cómo medir las cantidades

Cada uno de los remedios caseros que encontrarás en esta obra indican en qué cantidad debes utilizar los distintos ingredientes que entran en su composición. Para mayor sencillez, todas las cantidades se indican mediante estas medidas tan familiares:

- cuchara sopera (equivalente a unos 18 g),
- cuchara de postre (equivalente a unos 5 g),
- pizca o cantidad de planta que se puede coger entre el dedo pulgar y el índice (equivalente a unos 3 g),
- puñado o cantidad de planta que cabe en la palma de la mano cerrada,
- taza (taza de té, equivalente a unos 200 cl).

Utensilios básicos

Para preparar los distintos remedios caseros de mi abuela necesitarás una serie de utensilios básicos que, en su mayoría, ya se encuentran de forma habitual en tu cocina.

Mi abuela no utilizaba nunca utensilios de aluminio para preparar sus remedios caseros ya que aseguraba que este metal podía alterar las composiciones químicas de las plantas. Por lo tanto, es preferible que utilices siempre recipientes de acero inoxidable, de porcelana o de tierra cocida así como cucharas y espátulas de madera.

A modo orientativo, éstos son los utensilios que necesitarás para preparar los remedios caseros:

- un colador de malla fina para las infusiones y otro de malla más gruesa para filtrar las maceraciones y cataplasmas,
- cucharas y espátulas de madera para remover las plantas durante la cocción y también para manipularlas,
- un embudo de tamaño medio para decantar líquidos y otro más pequeño para decantar aceites y tinturas,
- un medidor para líquidos,
- un mortero para triturar plantas y demás ingredientes,
- ollas y cazos para la preparación de las infusiones, decocciones y vahos,
- un rallador plano para rayar hortalizas y verduras,
- distintos tarros de cristal opaco que cierren herméticamente para guardar las plantas y botellas de cristal opaco para embotellar vinos, alcoholes y tinturas.

Los remedios de la abuela para las dolencias más comunes

La acidez o el ardor de estómago

La acidez de estómago es una dolencia provocada por el reflujo de los jugos digestivos que se hallan en el estómago y que pasan al esófago, el conducto que une a aquel con la faringe. Estos ácidos digestivos no resultan dañinos para el estómago, recubierto por una sustancia protectora, pero, una vez en el esófago, producen una desagradable sensación de ardor.

La acidez de estómago puede deberse a múltiples trastornos digestivos, aunque en muchos casos es consecuencia de una alimentación inadecuada, que ralentiza la digestión y produce el reflujo de bilis alcalina en el estómago y el aumento de secreciones ácidas.

La acidez de estómago es una de esas dolencias que, pese a no revestir ninguna gravedad, resultan muy molestas para quien la padece. Convencida de la interacción entre cuerpo y mente, mi abuela aseguraba que si esta dolencia se convertía en crónica, llegaba a agriar el carácter de quien la padecía.

Decocción

Para aliviar la acidez de estómago, mi abuela preparaba una decocción a base de regaliz, una planta de gran poder digestivo:

INGREDIENTES: 3 cucharadas soperas de raíz de regaliz y 1 litro de agua.

PREPARACIÓN: pon la raíz de regaliz en un cazo con el agua. Llévala a ebullición durante 15 minutos y retira el cazo del fuego. Deja macerar la decocción durante toda la noche y a la mañana siguiente fíltrala.

POSOLOGÍA: 1 taza tibia o fría después de cada comida.

Los consejos de la abuela

- La dieta está directamente relacionada con la acidez de estómago. Por lo tanto, debes evitar las comidas demasiado grasas y picantes, los alimentos ricos en cafeína, como el chocolate y el café, así como el alcohol y las bebidas gaseosas.
- Mi abuela solía decir que tenía tanta importancia lo que se comía como la forma en que se comía y que, para evitar los problemas digestivos, es necesario masticar cada bocado, saboreándolo con tranquilidad.

Los trucos de la abuela

- Mi abuela siempre guardaba en su alacena un tarrito con raíz de jengibre que reservaba para los que padecieran acidez de estómago. En efecto, masticar durante unos minutos esta raíz produce un alivio inmediato del ardor de estómago.

El acné juvenil

Durante la pubertad se producen unos intensos cambios hormonales que hacen que las glándulas sebáceas trabajen en exceso, dilatando los poros y propiciando la aparición de focos de infección local, es decir, de esos granos con un centro amarillento que tanto afean el rostro de los adolescentes, y en algunos casos se extienden también por la espalda, el pecho y los hombros.

Cuando mi abuela era joven, se decía que el acné era un «mal de doncellas» y que el mejor remedio contra este problema cutáneo era un buen matrimonio y una maternidad temprana. Mi abuela nunca hizo caso de estas creencias populares, pues sabía por experiencia propia que algunas plantas tienen el poder de mitigar las consecuencias del acné, una afección que no sólo afecta al aspecto físico sino que también puede tener consecuencias psicológicas nefastas para quien la padece.

Loción purificante
Para evitar al máximo la infección de los poros, la limpieza del cutis es fundamental. Por ello, debes limpiarte cuidadosamente el cutis con esta loción purificante:

INGREDIENTES: 1 cucharada sopera de raíz de bardana, 1 cucharada sopera de lirio, 1/4 litro de agua y compresas de gasa.

PREPARACIÓN: pon la raíz de bardana en un cazo con el agua. Llévala a ebullición durante 10 minutos. Retira el cazo del fuego y añade el lirio. Vuelve a cubrir el cazo y deja reposar la decocción durante 5 minutos. Fíltrala y déjala enfriar por completo.

POSOLOGÍA: 3 veces al día, impregna unas compresas de gasa en esta loción y aplícalas sobre el cutis durante unos 5 minutos.

Mascarilla purificante para el acné
Como tratamiento complementario al anterior, mi abuela recomendaba esta mascarilla purificante que ejerce una acción astringente sobre los poros dilatados:

INGREDIENTES: 3 cucharadas soperas de té, 1 cucharada sopera de aceite de almendras, 1 taza de arcilla verde y 1/2 taza de agua.

PREPARACIÓN: en primer lugar, prepara el té con el agua, déjalo reposar 5 minutos y fíltralo.

En un recipiente, mezcla el té con la arcilla y el aceite de almendras hasta que obtengas una pasta homogénea. Aplica una fina capa de esta mascarilla con la yema de los dedos sobre la piel limpia y seca, evitando el contorno de ojos y la boca. Déjala actuar durante 20 minutos y retírala con abundante agua tibia.

Mascarilla exfoliante para pieles con acné

Para eliminar las películas muertas que se acumulan sobre la superficie del cutis y evitar que las partículas de sebo obstruyan los poros, mi abuela recomendaba esta mascarilla exfoliante que combina la acción astringente y purificadora del limón y de la miel, con el poder calmante y antiinflamatorio de la avena y del yogur:

INGREDIENTES: 1 cucharada de avena molida, 1 yogur, 1 limón exprimido y 1 cucharada de miel.

PREPARACIÓN: en un recipiente, mezcla la avena con el yogur hasta que obtengas una crema homogénea. Añade el zumo del limón, la cucharada de miel y remueve bien.

Aplica la mascarilla sobre el cutis con la yema de los dedos, evitando el contorno de ojos y la boca y realiza suaves masajes circulares, insistiendo en la zona de barbilla, nariz y frente. Deja actuar la mascarilla durante 15 minutos y aclárate con abundante agua fría.

Infusión

Como tratamiento interno destinado a purificar el organismo, mi abuela recomendaba la siguiente infusión a base de pensamiento y de enebro, dos plantas utilizadas desde antiguo para el tratamiento de las afecciones cutáneas:

INGREDIENTES: 1 cucharada de postre de pensamiento, 1 cucharada sopera de enebro y 1 taza de agua.

PREPARACIÓN: pon a hervir el agua en un cazo. Retíralo del fuego y añade el pensamiento y el enebro. Cubre el cazo y déjalo reposar durante 10 minutos. Filtra la infusión.

POSOLOGÍA: 1 taza por la mañana en ayunas y otra por la noche antes de cenar.

La aerofagia

La aerofagia, o gases estomacales, consiste en una disfunción del organismo que no reviste gravedad, pero que resulta muy molesta para quien lo padece, sobre todo por factores culturales.

Cuando consultaban a mi abuela por un problema de gases, siempre le decía al interesado que debía aprender a comer como es debido, sin prisas y saboreando cada uno de los alimentos. Este consejo, aparentemente tan elemental, es básico para reducir la producción de gases ya que, tal como indica la palabra aerofagia (*aero* [«aire»] y *fagia* [«estómago»]), en la mayoría de los casos ésta se produce por tragar aire al comer, un hecho agravado por el hábito de comer demasiado rápido, sin masticar correctamente los alimentos.

Infusión
Para estimular el sistema digestivo, mi abuela preparaba la siguiente infusión a base de plantas de acción carminativa:
INGREDIENTES: 1 pizca de anís, 1 pizca de salvia y 1 taza de agua.
PREPARACIÓN: pon a hervir el agua en un cazo, retíralo del fuego y añade el anís y la salvia. Cubre el cazo y déjalo reposar durante 5 minutos. Filtra la infusión y déjala enfriar.
POSOLOGÍA: 1 taza de esta infusión tibia después de cada comida.

Los trucos de la abuela
- Para reducir la flatulencia, mi abuela acompañaba todas las comidas con una ensalada condimentada con un poco de diente de león y con unos granos de comino. Además de realzar el sabor de la ensalada, estas plantas ejercen una acción carminativa que logra disminuir la producción de gases.

Las aftas

Las aftas consisten en la inflamación de los pequeños nódulos que recubren el interior de la boca. En la mayoría de los casos, las aftas

El poder medicinal del anís

Nombre científico: *Pimpinella anisum*
Planta de la familia de las umbelíferas

Esta planta originaria de Asia Menor forma parte de la historia de la fitoterapia desde antes de nuestra era. Su olor aromático y su sabor delicado ya sedujeron a egipcios, griegos y romanos, que la utilizaban por sus virtudes medicinales pero también en gastronomía, como por ejemplo para aromatizar el pan. Durante la Edad Media, la prescripción del anís se extendió por toda Europa como sedante contra las crisis de histeria y también para aliviar los dolores de partos.

Las propiedades terapéuticas del anís se deben a un aceite esencial cuyos componentes principales son el transanetol y el estragol, sustancias a las que debe su olor aromático tan característico.

El anís posee múltiples indicaciones terapéuticas aunque sin duda las principales son como digestivo y expectorante.

Entre las propiedades del anís destacan las siguientes:

- El anís ejerce una acción carminativa y estomática de gran eficacia para aliviar los gases estomacales, calmar los cólicos, favorecer las secreciones salivares y gástricas y aliviar las contracciones dolorosas del estómago y del intestino.
- Por sus efectos expectorantes, el anís facilita la eliminación de las mucosidades de los bronquios en el curso de un proceso catarral y gripal. Resulta igualmente muy útil en el tratamiento de los espasmos de los bronquios, como la tos o el asma.
- El anís posee virtudes calmantes, razón por la cual se ha prescrito tradicionalmente para el alivio de migrañas y cefaleas.

- Otro de los usos más populares del anís es para favorecer la subida de la leche de la madre lactante y también para calmar los cólicos del bebé alimentado con ella.
- Masticar granos de anís es uno de los remedios caseros más antiguos para combatir el mal aliento.

Licor de anís

Una manera deliciosa de beneficiarse de las propiedades digestivas del anís consiste en elaborar este licor de anís:

INGREDIENTES: 40 g de semillas de anís, 1/2 kg de azúcar, 1 rama de canela y 1 litro de agua ardiente.

PREPARACIÓN: en un mortero, machaca las semillas de anís e introdúcelas en un recipiente de cristal. Añade el azúcar, la canela y el agua ardiente. Deja macerar esta preparación durante 6 semanas. Pasado este tiempo, filtra el alcohol e introdúcelo en una botella de cristal con un tapón de corcho.

POSOLOGÍA: 1 copita de este licor de anís después de las comidas.

duran entre 1 semana y 10 días y aunque no revisten ninguna gravedad resultan bastante molestas.

Mi abuela recordaba que durante la guerra y la posguerra las aftas eran una afección muy común por la falta de alimentos y de vitaminas. En efecto, las aftas son consecuencia de un desorden dietético y, más concretamente, de una carencia de vitaminas B6, C y PP. Sin embargo, si una persona padece de aftas de forma recurrente, puede tratarse de algún problema digestivo añadido.

Enjuagues bucales

Mi abuela prescribía esta decocción para realizar enjuagues bucales a base de plantas de acción antiséptica y antiinflamatoria:

INGREDIENTES: 2 cucharadas soperas de romero, 2 cucharadas soperas de castaño, 2 cucharadas soperas de espliego y 1/2 litro de agua.

PREPARACIÓN: pon a hervir el agua en un cazo. Retíralo del fuego, añade el romero, el castaño y el espliego y cúbrelo. Deja reposar durante 15 minutos y fíltralo.

POSOLOGÍA: realiza enjuagues bucales 3 o 4 veces al día, después de cada comida.

Cataplasma

Las aftas pueden llegar a ser muy molestas si aparecen en una zona de la boca en la que se produce una continua frotación. Para aliviar la inflamación y la irritación producida por el afta, mi abuela preparaba esta cataplasma:

INGREDIENTES: 1 cucharada sopera de bicarbonato y un poco de agua.

PREPARACIÓN: mezcla el bicarbonato con un poco de agua hasta que obtengas una pasta. Aplícala directamente sobre la pequeña llaga y consérvala en la boca hasta que el bicarbonato se disuelva gradualmente.

Las anginas

Las anginas consisten en una inflamación de las amígdalas provocada por una infección de origen vírico o bacteriano. El primer síntoma de las anginas es un dolor en la garganta al tragar saliva, al que no solemos dar demasiada importancia. Pero cuando la inflamación de las amígdalas perdura, va acompañada de fiebre, de dolor de cabeza y se forman unos ganglios y puntitos blancos en las amígdalas es preciso actuar para evitar futuras complicaciones.

Infusión

Para aliviar la inflamación de las anginas, mi abuela preparaba esta infusión de acción antiséptica y antiinflamatoria:

INGREDIENTES: 1 cucharada sopera de saponaria, 2 cucharadas soperas de salvia y 1/4 litro de agua.

PREPARACIÓN: pon a hervir el agua en un cazo. Retíralo del fuego y añade la saponaria y la salvia. Cubre el cazo y deja reposar durante 15 minutos. Filtra la infusión.

POSOLOGÍA: 1 taza de esta infusión caliente con medio limón exprimido y 1 cucharada de miel 4 veces al día.

Gárgaras
Uno de los remedios caseros más tradicionales para aliviar las anginas es realizar gárgaras. Con esta infusión de acción antiinflamatoria y antiséptica obtendrás un rápido alivio:
INGREDIENTES: 1 cucharada sopera de vinagre de sidra, 1 cucharilla de postre de miel y 1 vaso de agua.
PREPARACIÓN: pon a calentar el agua en un cazo a fuego moderado. Sin llevarla a ebullición, añade el vinagre y la miel, removiendo constantemente con una espátula de madera durante 5 minutos. Retira la infusión del fuego y déjala enfriar.
POSOLOGÍA: realiza gárgaras con esta solución 3 o 4 veces al día, durante unos 5 minutos.

El poder medicinal de la salvia

Nombre científico: *Salvia officinalis*
Planta de la familia de las labiadas

La salvia es, sin duda, la reina de todas las plantas medicinales por dos razones: es la que se prescribe con fines medicinales desde más antiguo y su uso es más universal. Su nombre procede del latín *salvare* que significa salvar, un verbo que por sí sólo resulta muy revelador sobre el poder que los romanos atribuían a esta «hierba sagrada», capaz de curar un sinfín de enfermedades.

La historia nos ha legado distintos testimonios sobre la utilización de la salvia con fines terapéuticos y de todos ellos se desprende una peculiar síntesis entre magia y empirismo. Así, por ejemplo, los egipcios la utilizaban como planta sagrada en el ritual del embalsamiento al tiempo que le atribuían el poder de curar la esterilidad femenina, mientras que los griegos la depositaban como ofrenda a sus dioses y la prescribían para tratar distintas dolencias.

A lo largo de la Edad Media y del Renacimiento, médicos y botánicos no dejaron de alabar las propiedades de esta preciada planta hasta tal punto que dio origen al célebre aforismo de la escuela de Salerno *Salvia salvatrix natura conciliatrix*.

Las hojas de salvia contienen una fragancia aromática, de olor penetrante y alcanforado dotada de múltiples virtudes terapéuticas. Entre las principales, destacan las siguientes:

- La salvia ejerce un efecto tonificante sobre el sistema digestivo que alivia las digestiones pesadas, las diarreas y los vómitos.
- Empleada en gargarismo, la decocción de salvia actúa como astringente para las afecciones de boca y garganta, como la laringitis, las anginas y las aftas.
- La salvia ejerce una acción reguladora de la circulación sanguínea.
- La salvia es también diurética, razón por la cual se prescribe en caso de retención urinaria.
- En aplicación externa, la salvia ejerce una acción antiséptica para la curación de llagas y heridas.
- Las hojas de salvia desecadas y fumadas a modo de tabaco alivian los procesos asmáticos.

Vino de salvia

La preparación del vino de salvia es muy sencilla y permite beneficiarse cómodamente de sus propiedades medicinales:

INGREDIENTES: 6 cucharadas de salvia y 1 litro de vino blanco de calidad.

PREPARACIÓN: introduce las hojas de salvia en un frasco de cristal con capacidad para 1 litro y añade el vino blanco. Deja macerar la preparación durante 2 semanas. Filtra el vino exprimiendo las hojas para que liberen toda su sustancia y viértelo en una botella con tapón de corcho.

POSOLOGÍA: 1 copita de licor antes de comer y de cenar.

La artrosis

La artrosis es una de las enfermedades más comunes entre la población adulta; calcula que un 20% de la población mayor de 60 años la padece. A diferencia de lo que mucha gente cree, la artrosis no radica en un problema de huesos sino de articulaciones (la palabra «artrosis» procede de *artros* [«hueso»] y *osis* [«crónico»]). En efecto, la artrosis consiste en un crecimiento anormal del hueso en aquellas zonas sometidas a mayor movimiento, como son la cadera, las rodillas y la columna vertebral. Los principales síntomas de la artritis consisten en la limitación de movimiento, que en los casos más graves puede llegar a mermar considerablemente la calidad de vida, y el dolor.

Mi abuela gozó de una salud envidiable durante toda su vida. De lo único que sufrió fue de artrosis, especialmente durante los últimos años de su vida. Padecía de este mal con resignación, pues decía que era uno de esos peajes que se tenían que pagar por el privilegio de llegar a viejo. Se negó siempre a tomar fármacos antiinflamatorios y analgésicos, recelosa de sus efectos secundarios, y prefirió aliviar sus síntomas con estos remedios caseros:

Infusión

Para aliviar el dolor provocado por la artrosis, mi abuela preparaba esta infusión de acción antiinflamatoria a base de ulmaria, una planta que contiene acetilsalicílico natural:

INGREDIENTES: 1 cucharada de postre de ulmaria, 1 cucharada de postre de sauce y 1 taza de agua.

PREPARACIÓN: pon a hervir el agua en un cazo. Retíralo del fuego y añade la ulmaria y el sauce. Cubre el cazo y déjalo reposar durante 5 minutos. Filtra la infusión.

POSOLOGÍA: 1 taza caliente por la mañana y otra por la noche.

Cataplasma de arcilla
La acción combinada de la arcilla y del calor logra aliviar el dolor producido por la artrosis:
INGREDIENTES: 1 taza de arcilla en polvo y 1 taza de agua.
PREPARACIÓN: pon a hervir el agua en un cazo. Retíralo del fuego. Pon la arcilla en un recipiente, vierte el agua poco a poco y remueve hasta que obtengas una pasta espesa. Aplica la arcilla directamente sobre la zona dolorida y déjala actuar hasta que se haya enfriado por completo.

Las flores de Bach

A principio de los años treinta, el médico y homeópata británico Edward Bach descubrió las aplicaciones terapéuticas de las esencias florales de 38 flores y creó un sistema de clasificación de las mismas en función de su capacidad para influir sobre el estado emocional de la persona, «para sanar los desequilibrios entre el cuerpo y el espíritu». Paralelamente, perfeccionó un método de preparación y conservación de estas esencias florales para su posterior aplicación terapéutica.

El método de Bach parte de una premisa esencial: las enfermedades son consecuencia de un conflicto interior y para curarlas es imprescindible descubrir de qué conflicto se trata y actuar sobre su causa. A fin de reencontrar el equilibrio entre cuerpo y alma, Bach propone un método de autoayuda personal. Aquí reside precisamente la principal innovación de Bach, puesto que traslada el centro de interés de la enfermedad a la personalidad del paciente.

Las esencias florales contienen los principios activos de la flor, no poseen aroma ni sabor alguno, a excepción del alcohol con el que se preparan. Sus propiedades energéticas se activan al entrar en contacto con la luz del sol.

La esencia floral se caracteriza por ejercer una acción terapéutica sobre el plano mental y emocional de la persona, cuyos beneficios se extienden después al plano físico, generando cambios positivos en la salud. A diferencia de los fármacos, la esencia floral actúa de forma suave y gradual sobre el organismo.

Las 38 flores de Bach

1. Mímulo o almizcle
2. Heliantemo
3. Álamo temblón
4. Cerasifera
5. Castaño rojo
6. Ceratostigma
7. Scleranthus
8. Genciana
9. Aulaga
10. Avena silvestre
11. Hojaranzo común
12. Olivo
13. Clemátide
14. Madreselva
15. Castaño blanco o de Indias
16. Brote de castaño de Indias
17. Mostaza blanca
18. Rosa silvestre
19. Impaciencia
20. Violeta de agua
21. Brezo común
22. Nogal
23. Agrimonia
24. Centaura
25. Acebo
26. Sauce
27. Alerce
28. Pino silvestre
29. Manzano silvestre
30. Olmo
31. Roble albar
32. Leche de gallina
33. Castaño dulce
34. Achicoria
35. Verbena
36. Vid
37. Haya
38. Agua de roca

La bronquitis

La bronquitis consiste en una inflamación de la mucosa que recubre los bronquios. Tradicionalmente se distingue entre bronquitis aguda, cuando es producida por un agente infeccioso (virus, bacteria) o bien por una intoxicación externa (inhalación de humo, ambiente contaminado) y bronquitis crónica cuando ésta consiste en una producción anormal de mucosidades acompañada de tos y de expectoración diaria durante un período prolongado. Éste sería el caso, por ejemplo, de la bronquitis del fumador.

En ambos casos, la bronquitis va acompañada de malestar general, de tos seca, de picor en la garganta, de dolores en la zona del pecho y, en ocasiones, de una fiebre ligera seguida por un período de abundante secreción mucosa.

Infusión
Para estimular la eliminación de mucosidades, mi abuela preparaba una infusión con plantas de acción expectorante y antiséptica:

INGREDIENTES: 1 pizca de hojas de eucalipto, 1 pizca de tomillo, 1 pizca de malva, 1 pizca de gordolovo y 1/4 litro de agua.

PREPARACIÓN: pon a hervir el agua en un cazo. Retíralo del fuego y añade las hojas de eucalipto, el tomillo, la malva y el gordolovo. Cubre el cazo y déjalo reposar durante 20 minutos. Filtra la infusión.

POSOLOGÍA: 6 tazas diarias de esta infusión caliente, endulzada con 1 cucharada de miel, a razón de 2 tazas cada vez.

Cataplasma
Para aliviar la congestión de los bronquios, mi abuela preparaba la siguiente cataplasma:

INGREDIENTES: 250 g de harina de linaza, 2 cucharadas soperas de miel, 1 taza de agua y 1 gasa grande.

PREPARACIÓN: pon a hervir el agua en un cazo y retíralo del fuego. Pon la harina de linaza en un recipiente, haz un hoyo en el centro y ve añadiendo el agua caliente poco a poco, removiendo constantemente hasta que obtengas una pasta homogénea. Añade entonces la miel y sigue removiendo.

Pon esta pasta en el centro de la gasa y dobla sus extremos hacia el centro. Aplica la cataplasma directamente sobre el pecho y déjala actuar hasta que se haya enfriado totalmente la harina de linaza.

POSOLOGÍA: aplica esta cataplasma tres veces al día hasta que haya desaparecido la tos.

Los trucos de la abuela

- Por su alto poder desinfectante, el ajo ejerce una acción beneficiosa sobre el aparato respiratorio. Cuando alguien de la familia tenía bronquitis, mi abuela aderezaba todas las comidas con una buena cantidad de ajo picado crudo.
- Para aliviar una garganta irritada, mi abuela mezclaba un limón exprimido con agua bien caliente y 2 cucharadas de miel. Antes de ir a la cama, nos lo hacía beber poco a poco.

La diferencia entre «tos buena y tos mala»

Mi abuela, fiel a su creencia de que el cuerpo tiene su propia lógica, consideraba que la mayoría de los síntomas de las enfermedades más comunes constituyen un proceso necesario para recobrar la salud y que, por esta razón, es preciso dejar que sigan su curso.

En concreto, decía que no había que cortar la «tos buena», es decir, la tos cargada de mucosidades, ya que ésta es imprescindible para expulsar las secreciones infectadas.

En cambio, sí era partidaria de combatirse la «tos mala», es decir, la tos seca y dolorosa, que suele persistir al final de una gripe o catarro.

La miel, un verdadero regalo de la naturaleza

Desde tiempos remotos, la miel de abeja ha sido un alimento muy preciado en culturas de distinto signo que han tejido alrededor de este alimento tan excepcional numerosas leyendas, como la que aseguraba que eran las lágrimas sagradas de una divinidad o bien que era un don del cielo para con los humanos, un poderoso elixir de vida. Al margen de mitos y leyendas, lo cierto es que el increíble trabajo que llevan a cabo las abejas para elaborar cada gota de miel nos sigue dejando perplejos.

La miel es un alimento completo, rico en sales minerales y vitaminas, que ha sido utilizado a lo largo de la historia con fines curativos. Se sabe que los egipcios ya lo empleaban para tratar la tos, los trastornos digestivos, desinfectar las heridas... Mucho más cercano a nosotros, en las zonas rurales, las gentes del campo lo aplicaban como ungüento para curar abscesos y heridas. Entre sus principales usos medicinales figuran los siguientes:

- Una de las aplicaciones más tradicionales de la miel es como antitusivo y como descongestivo nasal.
- La miel ejerce un efecto sedante sobre el organismo, muy útil en caso de nerviosismo o insomnio.
- Las aplicaciones externas de la miel son múltiples. Una de las más usuales consiste en extender una capa de miel sobre una quemadura leve para impedir la formación de una ampolla y facilitar la cicatrización de la piel.

Los callos en los pies

La piel de los pies se defiende contra las agresiones externas o presiones excesivas desarrollando una costra protectora o callosidad que suele formarse sobre las partes protuberantes del pie, como los dedos y las articulaciones de las falanges, o bien en la parte trasera del talón. Además de ser un problema estético, los callos resultan muy dolorosos y pueden causar molestias al caminar.

Cuando consultaban a mi abuela por un problema de callos lo primero que hacía era preguntar: «¿Qué zapatos llevas?». En efecto, el uso de un calzado inadecuado, que ejerce un roce o una presión excesivos sobre el pie favorecen la aparición de los callos.

Baños de pies
Para eliminar los callos, mi abuela recomendaba realizar baños de pies con una infusión de celidonia, una planta utilizada tradicio-

nalmente para tratar las excrecencias de la piel y que en algunas regiones recibe el nombre de «planta de verrugas» o «planta de callos»:
INGREDIENTES: 2 cucharadas soperas de celidonia, 1 cucharada sopera de vinagre, 2 tazas de agua.
PREPARACIÓN: En primer lugar, prepara una infusión con la celidonia. Pon a hervir el agua en un cazo, retíralo del fuego, añade la celidonia y cúbrelo. Déjalo reposar durante 10 minutos y filtra la infusión.

Llena un barreño con agua caliente. Añade la infusión de celidonia y el vinagre. Sumerge los pies en este barreño durante 20 minutos. A continuación, aclárate los pies con agua tibia y sécatelos cuidadosamente.
POSOLOGÍA: repite los baños mañana y noche hasta que desaparezcan los callos.

Cataplasma

En aplicación externa, el ajo tiene la propiedad de ablandar las verrugas, los callos y demás formaciones córneas:
INGREDIENTES: 1 diente de ajo, 1 cucharada de postre de aceite de oliva, 1 tirita, crema hidratante.
PREPARACIÓN: pela y pica finamente el ajo, añade el aceite de oliva y mezcla ambos ingredientes hasta que obtengas una pasta espesa.

Protege la piel sana de alrededor del callo con una crema hidratante y aplica la cataplasma directamente sobre el callo. Cúbrelo con una tirita o un trozo de esparadrapo y deja actuar la cataplasma durante toda la noche.
POSOLOGÍA: 2 semanas hasta que se desprenda el callo.

Los consejos de la abuela

- Para evitar la aparición de los callos, debes llevar siempre un zapato cómodo, que no produzca ninguna rozadura.
- Mi abuela no se cansaba de insistir sobre los efectos nocivos de llevar tacones altos, ya que al forzar la posición de los dedos de los pies, favorecen la aparición de callos.
- Lleva siempre calcetines y medias de fibras naturales.
- Antes de ir a dormir, aplícate una crema hidratante para evitar que la piel se reseque.

El poder medicinal del ajo

Nombre científico: *Allium sativum*
Planta de la familia de las liliáceas

Originario de Asia central, el ajo ha sido cultivado por el hombre desde la más remota Antigüedad. La historia nos ha legado numerosos testimonios que demuestran que distintos pueblos, entre ellos los egipcios, los griegos y los romanos, ya conocían las virtudes medicinales del ajo. Entre los más conocidos, destaca una inscripción de la pirámide de Keops fechada en el 4500 a.C. en la que se relata cómo se distribuía un diente de ajo crudo a los esclavos que participaban en la construcción de las pirámides para aumentar así su resistencia.

Mucho más cercano a nosotros, el ajo fue para nuestros abuelos algo así como un curatodo universal, una planta medicinal al alcance del pueblo llano y de gran eficacia para un sinfín de dolencias. Una creencia popular que pervive todavía en el mundo rural donde los más mayores tienen la costumbre de tomar un diente de ajo crudo al desayunar. Mi abuela nos contaba siempre que su propio padre, cuya longevidad y buena salud eran proverbiales, empezaba siempre el día masticando un diente de ajo crudo en ayunas. Sin duda, eran tiempos en que la gente no era tan remilgada en materia de olores...

Aunque hoy en día el ajo es más popular como condimento gastronómico que por sus propiedades terapéuticas, sigue siendo una de las plantas más utilizadas en medicina natural, pues ejerce una acción benéfica en distintas enfermedades que afectan al aparato digestivo, al sistema circulatorio y al sistema respiratorio.

Entre las numerosísimas aplicaciones medicinales del ajo, destacan las siguientes:

- El ajo contiene un aminoácido azufrado llamado aliina y una serie de sustancias que lo convierten en un excelente vasodilatador de arterias y capilares, de ahí su eficacia contra la hipertensión.
- El ajo ejerce una acción bactericida y antibiótica sobre el aparato digestivo. Por ello, contribuye a regular la digestión, facilita la secreción de los jugos estomacales y combate las fermentaciones anormales que se producen en el intestino.
- El ajo constituye un potente antiséptico de las vías respiratorias, además de ejercer un efecto expectorante que facilita la expulsión de las mucosidades.
- El ajo ejerce una acción benéfica sobre el sistema circulatorio, razón por la cual se prescribe en caso de arteriosclerosis, reumatismo, artritis y reuma.
- El ajo contribuye a reducir la tasa de colesterol, limitando así el riesgo de infarto.
- En aplicación externa, el ajo ejerce una acción antiséptica y cicatrizante para la curación de llagas, abscesos y furúnculos. También es de gran eficacia para la eliminación de verrugas y callos.

Tintura de ajo

Por sus múltiples propiedades medicinales, el ajo es un excelente suplemento alimentario. Lo ideal sería consumirlo crudo, algo que seguramente no sería del todo bien visto por nuestros compañeros de oficina. La tintura de ajo constituye una excelente alternativa para disfrutar de todas sus propiedades medicinales sin los inconvenientes de su fuerte aroma:

INGREDIENTES: 7 dientes de ajo, 1/4 litro de alcohol de 90º.
PREPARACIÓN: pela y machaca los dientes de ajo en un mortero. Introdúcelos en un frasco de cristal y añade el alcohol de 90º. Deja macerar la preparación durante 2 semanas, agitando el frasco a diario. Tras ello, filtra el alcohol, exprimiendo

los restos de ajo, y viértelo en una botella de cristal opaco con un tapón hermético.

POSOLOGÍA: 5 gotas de tintura de ajo antes de cada comida principal.

El cansancio

Evidentemente, el cansancio no es ninguna enfermedad, sino una respuesta del organismo cuando se ve sometido a un trabajo físico o psíquico de intensidad superior al que está acostumbrado. Me refiero a ese tipo de cansancio que no desaparece con un buen sueño reparador o con un poco de reposo, sino al que se instala un día tras otro convirtiéndose en un estado casi permanente, al llamado síndrome de fatiga crónica (SFC).

El cansancio puede responder a infinidad de causas, tanto físicas como psíquicas, o incluso a una combinación de ambas. Entre las más habituales figuran la convalecencia, un período de intensa actividad física, el estrés, la depresión...

Mi abuela tenía ojo clínico para detectar cuando uno de nosotros pasaba por esta situación, con apenas observarnos unos minutos y sin que hubiéramos proferido ni una sola queja. Según ella, el cansancio no es perjudicial en sí mismo, sino porque representa un terreno abonado para contraer toda clase de enfermedades. En efecto, cuando una persona está cansada, las defensas de su organismo disminuyen al tiempo que aumentan las posibilidades de que contraiga una enfermedad de tipo infeccioso.

Vino reconstituyente

Para estos casos, mi abuela siempre tenía en su alacena una botella de un vino reconstituyente capaz, según ella, «de resucitar a un muerto» y que preparaba del siguiente modo:

INGREDIENTES: 2 cucharadas soperas de corteza de quinina, 100 cl de alcohol de 60º, 1 litro de vino tinto.

PREPARACIÓN: machaca levemente la corteza de quinina en un mortero e introdúcela en un frasco de cristal con capacidad para algo más de 1 l. Añade el alcohol y déjalo macerar durante 2 días. Añade entonces el vino y déjala macerar durante otros 15 días, agitando el frasco a diario.

Tras este plazo, filtra el vino exprimiendo la corteza de quinina para que libere toda su sustancia y viértelo en una botella de cristal opaco con un tapón de corcho.

POSOLOGÍA: una copita de licor de este vino antes de cada comida.

Infusión

Para combatir el cansancio, mi abuela preparaba esta infusión estimulante a la vez que depurativa a base de plantas de acción:

INGREDIENTES: 1 pizca de mejorana, 1 pizca de romero, 1 pizca de ortiga mayor, 1 taza de agua.

PREPARACIÓN: pon el agua a hervir en un cazo. Retíralo del fuego y añade la mejorana, el romero y la ortiga mayor. Cubre el cazo y déjalo reposar durante 5 minutos. Filtra la infusión.

POSOLOGÍA: 2 tazas al día entre las comidas de esta infusión bien caliente, endulzada con una cucharada de miel.

El catarro o resfriado común

El catarro es, sin duda, la enfermedad más habitual en el ser humano y, aunque en muchas latitudes es sinónimo de invierno y de frío, también tiene una notable incidencia en los países cálidos. Pocos son los que se libran de un catarro por lo menos una vez al año, una afección leve, pero cuyos síntomas asociados, como el malestar general, la congestión nasal o el dolor de cabeza, se convierten en un verdadero fastidio para quien lo padece.

Mi abuela decía que los catarros no se deben curar, sino que debe dejarse que la enfermedad siga su curso, pues es la forma que utiliza el cuerpo para eliminar toxinas y depurarse. Lo único que se debe hacer es aliviar sus síntomas con remedios caseros. En efecto, el tratamiento del resfriado es siempre sintomático, es decir, que alivia las molestias producidas por la enfermedad sin actuar sobre sus causas.

Infusión

Para aliviar la congestión nasal y facilitar la expectoración mi abuela preparaba la siguiente infusión:

INGREDIENTES: 1 pizca de mejorana, 1 pizca de camomila, 1 pizca de tomillo,1 taza de agua.

PREPARACIÓN: pon a hervir el agua en un cazo. Retíralo del fuego y añade la mejorana, la camomila y el tomillo. Cubre el cazo y déjalo reposar durante 10 minutos. Filtra la infusión.

POSOLOGÍA: 4 tazas diarias de esta infusión, caliente y endulzada con una cucharada de miel.

Vahos

Los vahos de hojas de eucalipto, una planta de alto poder balsámico y expectorante, constituyen un remedio casero de toda la vida para aliviar la congestión nasal mucho más eficaz e inocuo que cualquier pulverizador nasal:

INGREDIENTES: 1 puñado de hojas de eucalipto, 1 litro de agua.

PREPARACIÓN: calienta el agua en un cazo y cuando rompa a hervir añade el eucalipto. Deja hervir unos segundos y retira el cazo del fuego.

Realiza vahos con la cabeza tapada con una toalla húmeda, respirando por la nariz y por la boca alternativamente durante 10 minutos.

POSOLOGÍA: realiza vahos 3 veces al día.

Los consejos de la abuela

- Si el catarro va acompañado de fiebre, es necesario que guardes cama durante 1 o 2 días, procurando siempre que la habitación no esté excesivamente caldeada y ventilándola regularmente.
- Es muy importante que bebas mucho líquido para favorecer la fluidificación de las mucosidades y ayudar así al organismo a limpiar los pulmones.

- Debes consumir alimentos ricos en vitamina C, especialmente frutas y verduras crudas. Del mismo modo, evita los alimentos difíciles de digerir como las grasas, la carne y los lácteos.

Los trucos de la abuela

- Mi abuela no era partidaria de utilizar pañuelos de papel, según ella un invento moderno que siempre acaba irritando la nariz. Para estos casos, guardaba en su armario unos pañuelos de un algodón finísimo y desgastado, de aquellos que no irritan la piel. Antes de darnos uno de estos pañuelos, los impregnaba con unas gotas de aceite medicinal de eucalipto o de romero, unas plantas balsámicas y de acción expectorante. También vertía algunas gotas de este mismo aceite sobre la almohada y las sábanas. ¡Todo un detalle!

La aromaterapia

Al igual que la fitoterapia, la aromaterapia utiliza las propiedades medicinales de las plantas para curar las enfermedades pero se diferencia de ésta en que no emplea la totalidad de la planta, o una parte de ella, sino únicamente los aceites esenciales contenidos en ella.

El origen de la aromaterapia es remoto. Uno de los testimonios históricos más antiguos procede de la civilización precolombina en la que se utilizaban esencias aromáticas para curar una serie de dolencias. Los egipcios fueron otro de los pueblos que utilizaron las esencias aromáticas con fines terapéuticos, practicando una fusión de lo divino con lo empírico.

Lo cierto es que, al filo de los siglos, la aromaterapia fue practicada por culturas muy diversas hasta que, a partir del siglo XIX, cayó prácticamente en el olvido. Esta situación dio un giro significativo a principios de los años treinta, cuando un médico francés llamado René Maurice Gattefossé la volvió a poner de actualidad realizando una serie de investigaciones que todavía hoy siguen siendo un punto de referencia obligado. A lo largo de las décadas posteriores y siguiendo su estela, distintos investigadores se han dedicado a demostrar las propiedades terapéuticas de los aceites esenciales.

El aceite esencial de una planta consiste en una sustancia poderosamente aromática que se encuentra en cantidades ínfimas en la superficie exterior de ésta. Los aceites esenciales son sustancias altamente concentradas y de un gran poder activo, bastando 1 o 2 gotas para que desarrollen su eficacia.

La inhalación de los aceites esenciales produce un estímulo del sistema nervioso central que actúa liberando sustancias neuroquímicas con efectos sedantes, relajantes, estimulantes o euforizantes.

Los aceites esenciales también se pueden aplicar directamente sobre la piel, en cuyo caso atraviesan los capilares y son transportados por todo el organismo.

**Plantas que se utilizan en aromaterapia
para extraer los aceites esenciales:**

Anís	Manzanilla romana
Artemisia arborescente	Melisa
Canela	Menta
Cebolla	Menta verde
Coriandro	Pachuli
Ciprés	Pino
Enebro	Romero
Espliego	Salvia
Eucalipto	Sándalo
Jengibre	Tomillo
Lavanda	Valeriana
Limón	Zanahoria
Mandarino	

La cistitis

La cistitis consiste en una inflamación de la vejiga producida por una infección bacteriana de la uretra. Sus principales síntomas son una necesidad constante de orinar y una micción poco abundante a la vez que dolorosa. La cistitis afecta a un porcentaje mucho mayor de mujeres que de hombres. En este particular, mi abuela nos contaba que, al igual que en el caso de otras dolencias típicamente «femeninas», cuando ella era joven las mujeres sufrían de cistitis en silencio, esperando que la infección remitiera por sí sola, pues les avergonzaba hablar de ella. Una mentalidad que por fortuna queda ya muy lejos...

Advertencia: en caso de cistitis aguda, de micción acompañada de sangre, de fiebre y dolores abdominales, es necesario consultar urgentemente un médico.

En cambio, cuando se trata de una cistitis leve y meramente pasajera encontrarás un pronto alivio con remedios caseros a base de plantas.

Infusión

En caso de cistitis, mi abuela preparaba esta infusión con un alto poder diurético y antiséptico:

INGREDIENTES: 1 pizca de diente de león, 1 pizca de enebro, 1 pizca de malva, 1 taza de agua.

PREPARACIÓN: pon a hervir el agua en un cazo. Retíralo del fuego y añade el diente de león, el enebro y la malva. Cubre el cazo y deja reposar durante 5 minutos. Filtra la infusión.

POSOLOGÍA: 4 tazas diarias entre las comidas.

Los consejos de la abuela

- En caso de cistitis mi abuela recomendaba, además de beber mucha agua a lo largo del día, comer por la mañana y en ayunas unas buenas rodajas de sandía, una fruta de alto poder diurético.
- Para aliviar las molestias causadas por la cistitis no hay nada como tomar un baño caliente durante unos 20 minutos.

El poder medicinal del diente de león

Nombre científico: *Taraxacum officinale*
Planta de la familia de las compuestas

El diente de león es una planta procedente del este de Europa y de Asia septentrional cuya utilización con fines terapéuticos se remonta a la Antigüedad. El primer precedente histórico se sitúa en la antigua China, donde se prescribía diente de león para curar las afecciones del sistema respiratorio, los trastornos digestivos y la obesidad, aunque el descubrimiento de sus propiedades diuréticas se atribuye a los árabes.

En Europa, a lo largo de la Edad Media, el diente de león alcanzó gran popularidad para el tratamiento de las ictericias y de los problemas biliares.

Durante el Renacimiento se consolidó como un excelente diurético hasta el punto de que los franceses lo llamaron «pissenlit», los catalanes «pixallits» y los ingleses «piss-a-bed» («orina en cama»).

En fitoterapia se utilizan dos partes diferenciadas del diente de león: por un lado las hojas, por su acción diurética y colerética (estimulante de la producción biliar), y por otra las raíces, por sus propiedades digestivas. Así pues, entre las principales aplicaciones terapéuticas del diente de león figuran las siguientes:

- Las hojas de diente de león se prescriben como diurético en caso de retención de agua, de cálculos urinarios y de obesidad.
- La raíz de diente de león alivia los trastornos digestivos, las enfermedades hepáticas, el estreñimiento, las úlceras digestivas y las afecciones cutáneas de origen digestivo.

La conjuntivitis

Cuando la conjuntiva, es decir, la mucosa que recubre el interior de los párpados y la parte blanca del ojo, se inflama se produce la conjuntivitis. Esta afección va acompañada de una serie de síntomas como la irritación de los ojos, la sensación de picor y, en los casos más graves, la secreción de un pus amarillento, especialmente al levantarse y que produce la característica sensación de «tener los ojos pegados».

La mayoría de las conjuntivitis tienen un origen infeccioso, razón por la cual la medicina tradicional suele prescribir colirios que contienen antibióticos. Sin embargo, estos colirios resultan totalmente ineficaces cuando se trata de una conjuntivitis viral, como por ejemplo la que es consecuencia de una gripe, o bien de origen alérgico. Por lo tanto, a menos de que se trate de una conjuntivitis severa y crónica, es preferible recurrir a remedios caseros, igualmente eficaces y mucho menos agresivos.

Infusión

Para aliviar la conjuntivitis, mi abuela preparaba la siguiente infusión con plantas de acción antiséptica y antiinflamatoria:

INGREDIENTES: 1 cucharada sopera de camomila, 1/2 cucharada sopera de llantén, 1 taza de agua, compresas de gasa.

PREPARACIÓN: pon a hervir el agua en un cazo. Retíralo del fuego y añade la camomila y el llantén. Cubre el cazo y déjalo reposar durante 10 minutos. Filtra la infusión y déjala enfriar ligeramente. A continuación, lávate cuidadosamente las manos, impregna unas compresas de gasa en la infusión tibia y aplícalas sobre los ojos durante 10 minutos.

POSOLOGÍA: 3 veces al día.

Chichones y moratones

Tras recibir un golpe fuerte, se produce la rotura de los pequeños vasos sanguíneos superficiales y la sangre liberada se acumula en una especie de pequeña bola que levanta la piel: se ha producido el típico chichón. En el caso de los moratones, la sangre liberada se extiende bajo la piel sin llegar a levantarla.

Cuando era pequeña, como en toda casa en la que hay varios niños, los chichones y los moratones estaban a la orden del día. La víctima de estos pequeños percances acudía rápidamente a mi abuela, quien además de encontrar siempre las mejores palabras de consuelo, tenía mano de santo para calmar el dolor.

Cataplasma
Para reducir la inflamación y aliviar el dolor, mi abuela preparaba este remedio casero:
INGREDIENTES: compresas de gasa, 1 taza de hielo picado, 1 puñado de sal gruesa.
PREPARACIÓN: para obtener rápidamente el hielo picado, rasca la escarcha que hay en el congelador con una espátula de madera y ponla sobre una compresa de gasa.

A continuación, espolvorea el hielo con la sal gruesa y aplica la compresa directamente sobre el chichón o el moratón. Manténla en esta posición hasta que se derrita el hielo.

Según la importancia del chichón o del moratón, deberás aplicar una o dos cataplasmas más.

La cuperosis

La cuperosis es una afección cutánea consistente en la dilatación de los capilares dérmicos, con la consiguiente aparición de pequeñas zonas rojas con venitas aparentes, normalmente localizadas en la nariz o en las mejillas. La progresión de la cuperosis es lenta y, aunque no reviste gravedad alguna, puede constituir un verdadero problema estético, sobre todo en los casos más severos, cuando esta hipertrofia de las venas cutáneas adquiere un aspecto violáceo.

El invierno es una época hostil para las pieles con cuperosis, ya que las temperaturas bajas y los cambios bruscos de temperatura favorecen la dilatación de los capilares dérmicos.

Aceite

Para aliviar la cuperosis, mi abuela preparaba este aceite hidratante a base de hamamelis, una planta con propiedades vasoconstrictoras, astringentes y calmantes:

INGREDIENTES: 1 cucharada sopera de hamamelis, 1 cucharada de postre de manzanilla, 100 cl de aceite de almendras dulces.

PREPARACIÓN: machaca en un mortero las hojas de hamamelis y de manzanilla e introdúcelas en un recipiente. Añade el aceite de almendras dulces y déjalo macerar durante toda la noche. A la mañana siguiente, calienta el aceite al baño María durante 30 minutos y fíltralo. Vierte el aceite en un frasco de cristal opaco.

POSOLOGÍA: aplica este aceite sobre las zonas con cuperosis 2 veces al día, mañana y noche.

Los consejos de la abuela

- Para evitar la cuperosis, mi abuela decía que es preciso «abrigar» la piel contra las inclemencias del tiempo con una buena crema hidratante. Encontrarás una receta de crema hidratante en el apartado dedicado al cuidado del cutis (pág. 119).
- La cuperosis parece estar asociada con el consumo abusivo de alcohol, de café o de comidas picantes, así como a los trastornos hepáticos o digestivos. En estos casos, es imprescindible seguir una alimentación sana y equilibrada, evitando las comidas que favorecen la vasodilatación.
- Si tienes un problema de cuperosis, no debes utilizar nunca un tónico con alcohol. Reemplázalo por agua de rosas o bien por una infusión tibia de manzanilla.

La depresión leve

La depresión parece ser un mal de nuestros tiempos y que paradójicamente tiene mayor incidencia cuanto más alto es el nivel de bienestar material de una sociedad.

Mi abuela decía que en su época había tantas depresiones como ahora, pero que la gente, y muy especialmente las mujeres, no se podían permitir el lujo de reparar en ella. Eran años en los que a la depresión se le llamaba simplemente melancolía o bien tristeza y se confiaba en que el paso del tiempo, que lo cura todo, volviera a restablecer la normalidad.

Infusión

A lo largo de su dilatada experiencia, mi abuela había curado más de una depresión con una infusión a base de hipérico, una planta cuyos efectos antidepresivos han sido demostrados científicamente.

Como en muchos casos, la ciencia ha dado la razón al empirismo propio de la medicina natural.

INGREDIENTES: 1 cucharada de postre de hipérico, 1 pizca de lavanda, 1 pizca de salvia, 1 taza de agua.

PREPARACIÓN: pon a hervir el agua en un cazo. Retíralo del fuego y añade el hipérico, la lavanda y la salvia. Cubre el cazo y déjalo reposar durante 10 minutos. Filtra la infusión.

POSOLOGÍA: entre 3 y 6 tazas diarias de esta infusión caliente, en función de la gravedad de la depresión, endulzada con una cucharada de miel y un poquito de canela en polvo.

Vino de melisa

Como tratamiento complementario al anterior, mi abuela guardaba en su alacena una botellita de vino de melisa, una planta utilizada tradicionalmente para los trastornos nerviosos. Según ella, este vino era capaz de hacer más llevaderas las penas más grandes:

INGREDIENTES: 5 cucharadas soperas de melisa, 1/2 cucharada de postre de nuez moscada, 100 g de azúcar moreno, 1 litro de vino blanco de calidad.

PREPARACIÓN: introduce la melisa en la botella de vino blanco y déjalo macerar durante 48 horas. Transcurrido este plazo, filtra el vino exprimiendo las hojas de melisa para extraer toda su sustancia, añade la nuez moscada, el azúcar moreno y remueve enérgicamente. Vierte el vino en una botella de cristal oscuro y ciérrala con un tapón de corcho.

POSOLOGÍA: 1 cucharada sopera de este vino antes de cada comida.

El poder medicinal del hipérico

Nombre científico: *Hypericum perforatum*
Planta de la familia de las gutíferas

La utilización del hipérico con fines medicinales se remonta a la Antigüedad y se ha caracterizado siempre por presentar una síntesis de elementos empíricos y mitológicos. En efecto, son muchos los pueblos que han atribuido al hipérico poderes curativos a la vez que sobrenaturales. Así, por ejemplo, en la antigua Grecia se utilizaba hipérico para ahuyentar a los malos espíritus, una tradición que perduró hasta la Edad Media. También llamada Hierba de San Juan, pues florece durante esta festividad, en muchos países existía la tradición de colgar una rama de hipérico en la puerta de las casas el día de San Juan Bautista para alejar los espíritus del mal. Durante el Renacimiento, el hipérico se utilizó también en aplicación externa, para la curación de llagas, heridas y quemaduras. Entre sus principales aplicaciones medicinales destacan las siguientes:

- Por su contenido en hipericina, el hipérico ejerce una acción antidepresiva en caso de depresiones leves y moderadas.
- El hipérico ejerce una acción sedante y calmante del sistema nervioso, lo que contribuye a la mejora de los estados depresivos y de la ansiedad.
- En aplicación externa y debido a su contenido en aceite esencial y en tanino, el hipérico posee propiedades antisépticas y cicatrizantes muy útiles para la curación de heridas y abscesos.

Bálsamo de hipérico
Una de las formas más populares de aplicación externa del hipérico es mediante este bálsamo:

INGREDIENTES: 12 cucharadas soperas de flores de hipérico, 200 cl de aceite de oliva.

PREPARACIÓN: introduce las flores de hipérico en un recipiente de cristal, cúbrelas con el aceite y déjalo macerar durante 6 semanas, en un lugar caldeado. Filtra el aceite exprimiendo las hojas de hipérico para extraer toda su sustancia y vierte el aceite en una botella con tapón de corcho.

El dolor de cabeza y la migraña

El dolor de cabeza, o cefalea, designa una serie de dolencias que presentan un denominador común: un dolor localizado a nivel de la cabeza y cuya intensidad puede ser muy variable, desde una pequeña molestia pasajera hasta una tremenda neuralgia. Los síntomas asociados a la cefalea también pueden ser muy diversos siendo los más usuales la hipersensibilidad a la luz, las náuseas o el sudor.

Mi abuela decía que el dolor de cabeza es una de las dolencias más extrañas que existen, y que pueden ser tantas sus causas que es imposible dar con ellas. Esta afirmación es absolutamente cierta, aunque parece existir un factor hereditario, pues no es infrecuente que esta dolencia afecte a varios miembros de una misma familia.

Infusión

Para aliviar el dolor de cabeza, mi abuela preparaba la siguiente infusión de acción analgésica y sedante:

INGREDIENTES: 1 cucharada de postre de verbena, 1 cucharada de postre de valeriana, 1 pizca de sauce, 1 taza de agua.

PREPARACIÓN: pon a hervir el agua en un cazo. Retíralo del fuego y añade la verbena, la valeriana y el sauce. Cubre el cazo y déjalo reposar durante 15 minutos. Filtra la infusión.

POSOLOGÍA: 3 tazas diarias, mañana, tarde y noche.

Cataplasma

Para aliviar la característica sensación de tener la cabeza a punto de estallar, mi abuela preparaba esta cataplasma a base de cebolla:

INGREDIENTES: 1 cebolla mediana, 1 taza de alcohol de 90º.

PREPARACIÓN: pela la cebolla y córtala por la mitad. Pon el alcohol en un recipiente, introduce la cebolla y déjala macerar durante 20 minutos. A continuación, escurre la cebolla y aplícala sobre la frente y las sienes durante 15 minutos.

POSOLOGÍA: mañana y noche.

Compresas

Si te desagrada el fuerte olor que desprende la cebolla, encontrarás igualmente alivio con unas compresas impregnadas en esta solución:

INGREDIENTES: 1 cucharada de postre de basílico, 1 cucharada de postre de lavanda, 150 cl de vinagre de vino, 1/4 litro de agua, compresas de gasa.

PREPARACIÓN: pon a hervir el agua en un cazo. Retíralo del fuego y añade el basílico y la lavanda. Cubre el cazo y déjalo reposar durante 5 minutos. Añade el vinagre de vino y déjalo enfriar un poco.

Impregna unas compresas en esta solución, escúrrelas ligeramente y aplícalas sobre la frente y las sienes durante 15 minutos.

POSOLOGÍA: 4 veces al día.

El poder medicinal de la cebolla

Nombre científico: *Allium cepa*
Planta de la familia de las liliáceas.

Originaria de Asia central, Persia e Irán, la cebolla es la más antigua de todas las hortalizas utilizadas como condimento. Pero esta planta de uso tan cotidiano también esconde valiosas cualidades terapéuticas, conocidas por la medicina popular desde la Antigüedad. Objeto de culto y planta sagrada para los egipcios, la cebolla fue uno de los alimentos más populares entre la plebe y, igual que el ajo, se administraba a los esclavos empleados a la construcción de las pirámides con el fin de aumentar su resistencia.

Las propiedades terapéuticas de la cebolla son múltiples y se deben básicamente a su contenido en disulfuros de alilpropilo. Entre las principales propiedades destacan las siguientes:

- Por su alto contenido en agua, la cebolla es un excelente diurético y desinfectante de las vías urinarias, razón por la cual se prescribe en caso de retención urinaria, cistitis, ácido úrico...
- La cebolla constituye un eficaz descongestivo del aparato respiratorio que facilita la expulsión de las mucosidades, calma la tos y la irritación de la garganta y ejerce una acción benéfica en todos los procesos catarrales.
- Por otra parte, su contenido en glucoquinina, una sustancia que tiene el poder de disminuir la presencia de azúcar en la sangre, resulta benéfica para personas diabéticas, al estimular el funcionamiento del páncreas y la producción de insulina.
- Su contenido en sulfuro de alilo, al que debe su olor tan característico, le otorga una gran eficacia como antiséptico y bactericida, no sólo en uso interno sino también externo. Así, la cataplasma de cebolla constituye un remedio tradicional para la curación de distintas afecciones cutáneas.

Jarabe de cebolla

Al igual que el ajo, la forma más sencilla y eficaz de aprovechar las propiedades medicinales de la cebolla consiste en comerla cruda. Sin embargo, quienes no la digieran bien o simplemente encuentren su sabor demasiado fuerte pueden preparar el siguiente jarabe de cebolla:

INGREDIENTES: 3 cebollas medianas, 1/4 litro de agua, 4 cucharadas soperas de azúcar moreno.

PREPARACIÓN: pela y pica finamente las cebollas. Ponlas en un cazo con el agua y déjalas hervir hasta que el líquido se haya reducido a la mitad. Retíralas del fuego, añade el azúcar moreno y tritúralas con una batidora eléctrica. Ponlas nuevamente sobre el fuego. Cuécelas a fuego lento durante unos minutos removiendo constantemente con una espátula de madera hasta que obtengas la consistencia de un jarabe. Vierte el jarabe en una botella de cristal con un tapón de corcho.

POSOLOGÍA: 1 cucharada sopera antes de cada comida.

La diarrea

La diarrea, o gastroenteritis catarral, no es una enfermedad en sí misma, sino el síntoma de un proceso de limpieza del organismo tras una intoxicación. La diarrea puede tener múltiples causas, tanto externas —por ejemplo el consumo de alimentos en mal estado o de agua contaminada, la ingestión excesiva de alcohol—, como internas —por ejemplo una infección vírica o una situación de estrés emocional—. En algunos casos, la diarrea también puede ser uno de los síntomas asociados a una patología principal, como por ejemplo, la gastroenteritis.

Fiel a su creencia de que el cuerpo posee su propia lógica, mi abuela decía que la diarrea es un proceso natural y necesario para que el intestino pueda «limpiarse» de las sustancias indeseables que contiene y que, por lo tanto, no hay que nada para cortarla.

Advertencia: cuando la diarrea va más allá de los característicos retortijones y deposiciones frecuentes, dura más de 2 o 3 días y va acompañada de fiebre, de dolores abdominales agudos, de emisión de sangre y no se logra retener ninguna comida es preciso acudir al médico.

Decocción
Además de poner al enfermo a dieta, mi abuela recomendaba una decocción astringente a base de las siguientes plantas:

INGREDIENTES: 1/2 cucharada sopera de corteza de roble, 1/2 cucharada sopera de enebro, 1/4 litro de agua.

PREPARACIÓN: pon la corteza de roble en un cazo con el agua y llévala a ebullición durante 5 minutos. Retira el cazo del fuego, añade el enebro, cúbrelo y déjalo reposar durante 15 minutos. Filtra la decocción.

POSOLOGÍA: 3 tazas diarias, antes de las comidas.

El agua de arroz

Éste es uno de esos remedios caseros más tradicionales para aliviar la diarrea que aúnan una pasmosa sencillez con una eficacia absoluta:

INGREDIENTES: 3 cucharadas soperas de arroz, 2 litros de agua.

PREPARACIÓN: pon a hervir el agua en un cazo y añade el arroz. Déjalo hervir durante 1 hora a fuego lento. Filtra el agua y bébela a lo largo del día.

Los consejos de la abuela

- Durante las primeras horas, olvídate de la comida para facilitar así la tarea de limpieza del organismo.
- Es importante que bebas mucho líquido para evitar la deshidratación, preferentemente agua, té, caldos ligeros y agua de arroz.
- Pasadas las primeras horas, en las que conviene no comer absolutamente nada, puedes ingerir una dieta a base de arroz hervido, zanahoria hervida, puré de manzana, pan tostado y plátano.
- En cambio, debes evitar los alimentos con un alto contenido en fibra y de efecto laxante, como las frutas, las ensaladas o las verduras crudas y las harinas integrales.
- Es conveniente que comas de 2 a 3 yogures diarios, ya que sus principios activos ayudan a restaurar la flora intestinal.

Los trucos de la abuela

- La diarrea produce una pérdida considerable de magnesio y de potasio. Para suplir esta carencia, mi abuela rayaba una manzana y la dejaba en un plato sin taparla hasta que se oscureciera: de esta forma la pectina contenida en la pulpa se oxida y se enriquece en magnesio y potasio.

- Si los retortijones son muy intensos, mi abuela lograba aliviarlos con este sencillo remedio casero: moja una toalla con agua muy caliente y, tras escurrirla a fondo, aplícala sobre la barriga. Cámbiala inmediatamente en cuanto esté tibia.

El dolor de menstruación

Mientras algunas mujeres tienen la menstruación sin apenas sentir ninguna molestia, para otras el dolor en la parte inferior de la barriga y en la región lumbar, las migrañas e incluso los vómitos representan un tormento mensual.

Mi abuela siempre decía que ser mujer no es cosa fácil y que una vez al mes la naturaleza nos recuerda que hemos venido al mundo para dar a luz con dolor. También nos contaba con ironía que cuando ella era joven las mujeres que tenían la regla eran algo así como apestadas pues se les atribuía el poder de provocar toda clase de pequeñas calamidades, como marchitar las plantas, cortar la mayonesa o impedir que la levadura del pan levantara la masa... Mi abuela siempre supo que se trataba de una sarta de tonterías y conocía una serie de remedios naturales para calmar los dolores menstruales.

Infusión
Para aliviar los dolores menstruales, mi abuela preparaba la siguiente infusión con acción analgésica y calmante:

INGREDIENTES: 1 cucharada de postre de menta, 1 pizca eufrasia, 1 clavo de anís estrellado, 1 taza de agua.

PREPARACIÓN: pon a hervir el agua en un cazo. Retíralo del fuego y añade la menta, la eufrasia y el anís estrellado. Cubre el cazo y déjalo reposar durante 10 minutos. Filtra la infusión.

POSOLOGÍA: 3 tazas al día entre las comidas.

Los consejos de la abuela
- Mi abuela decía que el calor es uno de los mejores remedios para mitigar el dolor de menstruación. Calor en la barriga, mediante una bolsa de agua caliente, pero también calor en

los pies con un buen par de calcetines, incluso en verano. Curiosamente, la medicina china le daría la razón a mi abuela, ya que considera que los pies son unas extremidades directamente relacionadas con el útero.

El dolor de muelas

Quienes hayan tenido alguna vez dolor de muelas pueden dar fe de que es uno de los más intensos que existen. En la mayoría de los casos, el dolor de muelas está provocado por una caries que ha llegado a afectar el nervio del diente, con la consiguiente aparición de una infección y, en los casos más graves, de un flemón.

Cuando mi abuela era joven, el dolor de muelas era una afección muy común ya que no existían hábitos de higiene dental como en la actualidad y los cuidados de la boca eran más que rudimentarios. Eran tiempos en los que tampoco existían preparados farmacéuticos analgésicos y en los que la gente recurría a productos naturales para aliviar su dolor.

Enjuagues bucales

El clavo es una planta de acción analgésica que se ha utilizado tradicionalmente para aliviar el dolor de muelas, ya sea aplicándolo directamente sobre el diente o, como en este caso, mediante una infusión para realizar enjuagues bucales:

INGREDIENTES: 5 clavos, unas hebras de azafrán, una pizca de sal y 1 taza de agua.

PREPARACIÓN: pon el clavo, el azafrán y la sal en un cazo con el agua y llévala a ebullición durante 10 minutos. Retira el cazo del fuego, cúbrelo y déjalo reposar durante 15 minutos. Filtra esta decocción y déjala enfriar.

POSOLOGÍA: utiliza esta solución 4 o 5 veces al día.

Cataplasma

Para incrementar la acción analgésica de los enjuagues bucales, mi abuela preparaba la siguiente cataplasma a base de flor de heno, una planta conocida también como «la morfina de las plantas medicinales»:

INGREDIENTES: 1 cucharada sopera de flor de heno, 1/2 taza de agua y 1 trocito de gasa.

PREPARACIÓN: pon a hervir el agua en un cazo. Retíralo del fuego y añade la flor de heno. Cúbrelo y déjalo reposar durante 5 minutos. Cuela la flor de heno, pícala finamente y colócala sobre un trocito de gasa. Aplica esta cataplasma directamente sobre el diente dolorido y déjalo actuar durante 20 minutos.

El eccema

El eccema consiste en una inflamación de la piel que puede estar localizada en algunas zonas, como por ejemplo los pliegues de la piel, la cara y las manos, o bien recubrir todo el cuerpo. En la zona afectada, la piel presenta un aspecto rojizo y descamado que suele ir acompañado de picores y escozores. En los casos más severos, la piel presenta pequeñas ampollas que acaban por supurar.

El eccema puede deberse a un sinfín de causas, ya sean externas como el exceso de sol o el frío, o bien internas como una indigestión.

Mi abuela decía que lo importante es tratar el eccema desde su inicio, ya que es una de esas afecciones que tienden a convertirse en crónicas y si dejamos que lleguen a esa fase, entonces resultan muy difíciles de curar.

Compresas

En caso de eccema, mi abuela preparaba estas compresas con plantas de acción astringente y antiinflamatoria:

INGREDIENTES: 1 cucharada sopera de escabiosa, 1 cucharada sopera de camomila, 1 cucharada sopera de hojas de nogal, 1/2 litro de agua y compresas de gasa.

PREPARACIÓN: pon a hervir el agua en un cazo. Retíralo del fuego y añade la escabiosa, la camomila y las hojas de nogal. Cúbrelo y déjalo reposar durante 15 minutos.

Una vez tibia, impregna unas compresas de gasa en esta infusión y aplícalas sobre la zona afectada durante unos 15 minutos.

POSOLOGÍA: mañana y noche durante 2 semanas.

Cataplasma

Para aliviar la comezón provocada por el eccema, mi abuela preparaba una cataplasma a base de zanahoria, una hortaliza que por su alto contenido en beta caroteno, vitamina B, ácido fólico y sales minerales resulta especialmente indicada para el tratamiento de todas las afecciones cutáneas:

INGREDIENTES: 1 zanahoria, 1 gasa.

PREPARACIÓN: pela y lava cuidadosamente la zanahoria. Ráyala y ponla sobre una gasa o sobre un paño de algodón limpio. Aplícala directamente sobre la zona afectada y déjala actuar durante unos 20 minutos.

POSOLOGÍA: 1 vez al día durante 15 días.

Los esguinces

El esguince consiste en una lesión de los ligamentos que conectan el músculo al hueso producida por una torcedura o un gesto violento. El esguince suele ir acompañado de un dolor intenso y de la inflamación de la zona afectada.

Mi abuela conocía una serie de remedios caseros de gran eficacia para aliviar el dolor producido por un esguince, pero siempre insistía en que acudiéramos al médico, a quien compete descartar que pueda tratarse de una fractura y aplicar un vendaje inmovilizador, imprescindible para evitar una ulterior rotura de ligamentos.

Cataplasma

Un esguince requiere la inmovilización total del miembro afectado. Si te han puesto uno de esos vendajes en forma de calcetín que se pueden quitar y poner, lograrás aliviar el dolor y reducir la inflamación con esta cataplasma de arcilla:

INGREDIENTES: 1 taza de arcilla en polvo, 1 vaso de agua muy fría vendaje.

PREPARACIÓN: en un recipiente, mezcla la arcilla con el agua fría hasta que obtengas una pasta homogénea. Aplícala acto seguido sobre la zona dolorida, cúbrela con una toalla y déjala actuar durante 20 minutos.

POSOLOGÍA: aplica esta cataplasma 3 veces al día.

Friegas

Una vez retirado el vendaje inmovilizador, para acelerar la recuperación, mi abuela nos realizaba friegas con este preparado casero de acción antiinflamatoria:

INGREDIENTES: 2 cucharadas soperas de llantén, 1 taza de agua, 1 cucharada sopera de sal marina, 1/2 vaso de vinagre de sidra de manzana.

PREPARACIÓN: en primer lugar, prepara una infusión con el llantén: pon a hervir el agua en un cazo, retíralo del fuego, añade la planta, cúbrelo, déjalo reposar 5 minutos y fíltralo.

Calienta el vinagre de sidra de manzana en un cazo. Antes de que rompa a hervir, añade la cucharada sopera de sal marina y deja hervir la mezcla durante 5 minutos.

Retira el cazo del fuego, añade la infusión de llantén, remueve bien y, cuando la mezcla esté tibia, empapa un algodón en ella e impregna generosamente la zona dolorida. Sin esperar a que la piel se seque, realiza un suave masaje circular.

El estreñimiento

El estreñimiento es una afección muy común y, aunque no reviste ninguna gravedad, puede llegar a mermar considerablemente la energía vital de una persona. Mi abuela solía decir que el estreñimiento es una enfermedad típica de la vida moderna, debida a que, según sus palabras, «la gente come como un lobo cuando en realidad tiene un estómago de oveja».

Esta afirmación un tanto curiosa tiene en realidad mucho de cierto ya que el estreñimiento no es sino una disfunción entre la dieta que ingerimos y la dieta para la que nuestro colon está diseñado. En efecto, el intestino humano, cuatro veces más largo que el de los carnívoros, no está preparado para asimilar una dieta como la que ingerimos habitualmente, es decir, demasiado rica en productos cárnicos, en lácteos y en cereales refinados y, en cambio, demasiado pobre en alimentos con fibras que favorezcan los movimientos peristálticos. Como consecuencia, los alimentos se descomponen en el intestino, lo que provoca desde los característicos síntomas de pesadez e incomodidad hasta agudos dolores de cabeza.

La naturaleza nos ofrece infinidad de sustancias que nos pueden ayudar a solucionar este problema y evitar tener que recurrir a fármacos laxantes. No debes olvidar que el abuso de laxantes o enemas hace que el intestino se vuelva «perezoso» y que el estreñimiento se convierta en una dolencia crónica, con la consecuente dependencia de dichos laxantes.

Decocción

En caso de estreñimiento, mi abuela recomendaba esta infusión a base de plantas de acción laxante:

INGREDIENTES: 1 cucharada de postre de anís verde, 1 cucharada sopera de escaramujo, 1/4 litro de agua.

PREPARACIÓN: pon el anís verde en un cazo con el agua y llévala a ebullición durante 5 minutos. Retira el cazo del fuego, añade el escaramujo, cúbrelo y déjalo reposar durante 10 minutos. Filtra la decocción.

POSOLOGÍA: 2 tazas de esta infusión antes de cada comida principal.

Jarabe

Mi abuela siempre guardaba en su alacena un jarabe de ciruelas, confeccionado por ella misma y, según sus palabras, no había estreñimiento que se le resistiera:

INGREDIENTES: 250 g de ciruelas, 200 g de azúcar blanco.

PREPARACIÓN: lava las ciruelas, pártelas por la mitad y retira el hueso. Ponlas en un recipiente, cúbrelas con el azúcar y remueve bien. Déjalas macerar toda la noche.

Al día siguiente, añade el agua y calienta la mezcla a fuego lento, removiendo constantemente con una cuchara de madera hasta que el azúcar tenga una consistencia de jarabe y las ciruelas se haya deshecho parcialmente.

Retira el cazo del fuego, tritura las ciruelas con una batidora eléctrica y vierte el jarabe en una botella con tapón hermético.

POSOLOGÍA: 1 cucharada sopera de este jarabe en ayunas y otra antes de cenar.

Las semillas de lino: un remedio natural contra el estreñimiento crónico

Las semillas de lino, ricas en fibra y en aceites insaturados, ejercen una acción laxante, ya que al inflarse en el intestino y aumentar de volumen, estimulan el tránsito intestinal. Las semillas de lino contienen además un elemento denominado mucilago, que suaviza la irritación de las paredes intestinales, las lubrifica y facilita la eliminación de los desechos.

POSOLOGÍA: 1 cuchara sopera llena, 2 o 3 veces al día. También puedes poner 1 cucharada sopera de semillas de lino en remojo con 2 tazas de agua fría durante 3 horas. Bébete el agua, con las semillas y el mucilago.

Los consejos de la abuela

- Dado que la dieta es responsable directa del estreñimiento, para no tener problemas de regularidad es preciso privilegiar el consumo de alimentos que contengan mucha fibra y favorezcan el tránsito intestinal, como la fruta, las verduras crudas, el pan o los cereales integrales.
- La vida sedentaria es otro de los factores que favorecen el estreñimiento. Recuerda que cuando haces ejercicio físico también se mueven tus órganos internos. En concreto, todos los ejercicios que hacen trabajar los abdominales resultan especialmente indicados para combatir el estreñimiento.

Los trucos de la abuela

- Como alternativa al jarabe de ciruela, puedes tomarte 1 cucharada de aceite de oliva crudo en ayunas.

El poder medicinal del aceite de oliva

El cultivo del olivo y la extracción del aceite de sus frutos están indisociablemente unidos a la historia de la cultura mediterránea. Divinizado por griegos y romanos y convertido en símbolo fundamental del cristianismo, el olivo es un árbol que despierta hoy un renovado interés.

En efecto, a las virtudes gastronómicas del aceite de oliva, harto conocidas, se ha añadido el reconocimiento de unas cualidades medicinales que convierten a este ingrediente tradicional de la dieta mediterránea en el mejor aliado del corazón. El prestigio dietético del aceite de oliva se remonta a principio de los años ochenta, cuando la comunidad científica empezó a interesarse por el valor nutricional de este ácido insaturado. Las últimas investigaciones han demostrado que el efecto beneficioso del aceite de oliva sobre el corazón se debe a su alto contenido en ácido oleico, un componente que reduce la presencia de otros ácidos grasos y tiene el poder de disminuir el nivel de colesterol.

Fue el inicio de un fenómeno un tanto extraño: el aceite de oliva, un elemento culinario un tanto denostado en el pasado por considerarse propio de los países más pobres de Europa, empezó a considerarse como un producto de auténtico lujo en los países anglosajones, no sólo por su valor gastronómico sino sobre todo por sus cualidades nutricionales.

La fiebre

La fiebre no es una enfermedad sino un síntoma palpable de que el sistema inmunitario está actuando para defenderse de una infección vírica o bacteriana mediante el aumento de la temperatura corporal. Ésta es la razón por la cual siempre que hay fiebre es preciso averiguar su causa y actuar sobre ella.

Advertencia: si la fiebre supera los 39º es conveniente consultar a un médico.

Infusión

Para ayudar al cuerpo a recuperar su temperatura normal mi abuela preparaba esta infusión de acción hipotérmica a base de eucalipto, una planta tradicionalmente utilizada para bajar la fiebre y con alto poder bactericida. No en vano, en algunos países recibe el nombre de «árbol de la fiebre»:

INGREDIENTES: 2 cucharadas soperas de hojas eucalipto, 1 pizca de salvia, 1 taza de agua.

PREPARACIÓN: pon a hervir el agua en un cazo. Retíralo del fuego y añade el eucalipto y la salvia. Cúbrelo y déjalo reposar durante 5 minutos. Filtra la infusión.

POSOLOGÍA: toma 1 taza cada 2 horas hasta que finalmente remita la fiebre.

Compresas

Para aliviar la sensación de estar literalmente ardiendo que produce la fiebre, mi abuela preparaba estas compresas:

INGREDIENTES: 4 cucharadas soperas de salvia, 1/2 litro de agua.

PREPARACIÓN: pon a hervir el agua en un cazo. Retíralo del fuego y añade la salvia. Cúbrelo y déjalo reposar 10 minutos. Filtra la infusión y déjala enfriar por completo.

Cuando esté bien fría, impregna una toalla pequeña en esta infusión y aplícala sobre la frente, nuca y pecho.

Los consejos de la abuela:

- Cuando tengas fiebre, debes beber mucho líquido, preferentemente zumos de frutas y caldos de verduras, de propiedades febrífugas. No olvides que el limón es un poderoso aliado del sistema inmunitario.
- Si tienes fiebre no debes forzarte en comer nada, ya que el organismo no lo necesita. Además, la fiebre produce la destrucción de enzimas y, por consiguiente, los alimentos se digieren mal.

El poder medicinal del eucalipto

Nombre científico: *Eucaliptus globulus*
Planta de la familia de las mirtáceas

Originario de Tasmania y Australia, el eucalipto fue introducido en Europa a mediados del siglo XIX, cuando empezaron a proliferar las plantaciones de este árbol en zonas pantanosas. En efecto, por su capacidad para absorber grandes cantidades de agua, el eucalipto es un árbol idóneo para desecar terrenos húmedos e insalubres, hasta tal punto que en algunas regiones se le llegó a llamar «el árbol de la fiebre».

Desde siempre, la medicina popular ha sabido utilizar las propiedades terapéuticas del eucalipto. Éstas se deben a un aceite esencial cuyo principal constituyente es el cineol o eucaliptol, una sustancia que actúa como antiséptico y que desprende un olor balsámico muy característico. Entre las principales propiedades terapéuticas del eucalipto destacan las siguientes:

- Por su alto poder antiséptico y expectorante, el eucalipto resulta idóneo para el tratamiento de la gripe, de los resfriados y, en general, de todas las afecciones de las vías respiratorias.
- Los vahos de eucalipto tienen un efecto balsámico que calma la irritación de las vías respiratorias, descongestiona las mucosas y facilita la expectoración.
- Los gargarismos de eucaliptos alivian las irritaciones e inflamaciones de garganta a la vez que ejercen una acción antiséptica.
- El eucalipto se utiliza también en aplicación externa, para el lavado de llagas y úlceras, bien a modo de loción desinfectante o bien de cataplasma.

Jarabe de eucalipto

Este jarabe de elaboración casera contiene todas las propiedades medicinales del eucalipto:

INGREDIENTES: 5 cucharadas soperas de hojas de eucalipto, 3 tazas de agua de agua, 300 g de azúcar.

PREPARACIÓN: pon a hervir el agua en un cazo y añade las hojas de eucalipto. Déjalo hervir durante 10 minutos y retíralo del fuego. Cubre el cazo y déjalo reposar durante 4 horas. A continuación, filtra la infusión, añade el azúcar y calienta la mezcla a fuego lento removiendo constantemente hasta que obtengas la consistencia de un jarabe. Retíralo del fuego y viértelo en una botella con tapón de corcho.

POSOLOGÍA: 3 o 4 cucharadas soperas al día de este jarabe entre las comidas.

La gripe

La gripe es una enfermedad vírica muy común que asociamos inevitablemente a los días de invierno. Sus primeros síntomas pueden confundirse con los del resfriado común, pero muy pronto el fuerte dolor muscular, la sensación de fatiga extrema, la fiebre, los escalofríos, el dolor de cabeza y las dificultades respiratorias evidencian que se trata de un proceso gripal. A diferencia del catarro, que no imposibilita la actividad rutinaria, la gripe deja al enfermo fuera de combate y le obliga a guardar cama.

Mi abuela le tenía mucho respeto a la gripe, pues recordaba que cuando era niña esta enfermedad causaba muchos muertos. Lo cierto es que, aún en la actualidad, las neumonías y demás complicaciones derivadas de la gripe siguen siendo causas importantes de mortandad, especialmente entre personas de avanzada edad.

Al tratarse de un virus, no existe medicación alguna capaz de curar la gripe y es necesario dejar que la enfermedad siga su curso. Pero lo que sí puede hacerse es aliviar sus síntomas, evitar complicaciones y acelerar la recuperación con una serie de remedios caseros.

Vahos

En cuanto había alguien en casa con gripe, mi abuela ponía a hervir una olla en la cocina con unas plantas de acción expectorante, desinfectante y febrífuga. Después hacía que el enfermo se sentara en la mesa de la cocina y aspirara los vahos que habían impregnado toda la habitación:

INGREDIENTES: 2 cucharadas soperas de tomillo, 2 cucharadas soperas de hojas de eucalipto, 2 litros de agua.

PREPARACIÓN: pon a hervir el agua en un cazo. Añade el tomillo y el eucalipto y déjalo hervir durante unos segundos. Apaga el fuego y deja que los vahos sigan llenando toda la habitación.

Infusión

Durante los procesos gripales es necesario beber mucho líquido. Tanto mejor si bebes esta infusión preparada con plantas de acción antiséptica y expectorante:

INGREDIENTES: 5 clavos, 2 cucharadas soperas de hojas de eucalipto, 1 cucharada sopera de hojas de borraja, 1/2 litro de agua.

PREPARACIÓN: pon el agua y el clavo en un cazo y llévala a ebullición durante 5 minutos. Retira el cazo del fuego, añade el eucalipto y la borraja. Cubre el cazo y déjalo reposar durante 10 minutos. Filtra la infusión.

POSOLOGÍA: bebe esta infusión tibia o fría a lo largo del día, endulzada con 1 cucharilla de miel y un poquito de canela en polvo.

Vino reconstituyente

La gripe siempre produce un estado de debilitamiento general. Para que la recuperación fuera más pronta, mi abuela preparaba un vaso de este vino reconstituyente:

INGREDIENTES: 1 vaso de vino tinto, 1/2 rama de canela, 1 rodaja de limón, 1 cucharada de miel.

PREPARACIÓN: calienta el vino en un cazo a fuego lento, con la canela y el limón. Déjalo hervir durante 5 minutos y retíralo del fuego.

POSOLOGÍA: este vino se toma caliente, endulzado con miel, a razón de 1 vaso después de cada comida.

El poder medicinal del clavo

Nombre científico: *Caryophyllus aromaticus*
Planta de la familia de las mirtáceas

El clavo no es un fruto, sino el capullo seco del clavero todavía sin abrir, un árbol originario del archipiélago de las Molucas. La historia del clavo es antiquísima y mucho antes de que fuera conocido en Occidente, los cortesanos de la antigua China ya lo utilizaban para perfumar su aliento antes de entrevistarse con el emperador.

Durante la Edad Media y el Renacimiento, el clavo fue considerado como una especia exótica de gran valor, un producto de auténtico lujo que, en algunos casos, llegó incluso a utilizarse como moneda de pago.

A diferencia de lo que ocurre hoy en día, en el pasado el clavo ha sido más valorado por sus propiedades medicinales que gastronómicas. En efecto, durante siglos fue considerado como una verdadera panacea por sus propiedades analgésicas, febrífugas y antisépticas. Tanto es así que hasta bien entrado el siglo XIX, el clavo entraba en la composición de numerosos preparados farmacológicos sin que se supiera a ciencia cierta cuáles eran sus principios activos.

Las propiedades medicinales del clavo se deben básicamente a un aceite esencial que desprende un aroma muy característico: el eugenol. Entre las distintas aplicaciones del clavo destacan las siguientes:

• El clavo actúa como un analgésico capaz de aliviar los dolores y los espasmos. Una de sus principales aplicaciones es como analgésico dental a la vez que como cauterizador de

la pulpa dental. De hecho, actualmente numerosos dentífricos contienen eugenol.
- El clavo posee un alto poder antiséptico y, tanto en aplicación interna como externa, son numerosas las recetas populares que lo utilizan para desinfectar llagas o prevenir enfermedades infecciosas.
- El clavo estimula el aparato digestivo y el sistema circulatorio.

El insomnio

El sueño es la base de la salud del ser humano, una necesidad biológica imprescindible para garantizar el ritmo necesario de recuperación biológica. El insomnio, o incapacidad para conciliar el sueño,
puede repercutir muy negativamente en la actividad diaria de una
persona y, en los casos más graves, convertirse en una auténtica obsesión.

Tratar y curar el insomnio es una tarea muy difícil, ya que muchas veces responde a causas puramente psicológicas, como el estrés, la preocupación o la ansiedad, más que a trastornos funcio-
nales. Los remedios naturales ofrecen la ventaja respecto a los
preparados farmacológicos de no crear dependencia ni tener efectos secundarios.

Baño de tila

Uno de los recuerdos más antiguos que vienen a mi memoria es el
de mi abuela vertiendo una tisana de tila en el baño de mi herma-
na pequeña recién nacida. Desde que había vuelto de la clínica, sus
continuos lloros por la noche impedían dormir a toda la casa hasta
que mi abuela logró apaciguar a ese bebé tan intranquilo con este
remedio tan sencillo.

El poder tranquilizante de la infusión de tila es harto conocido, pero
mi abuela aseguraba que los efectos de esta planta aumentaban considerablemente realizando un buen baño caliente antes de acostarse.

INGREDIENTES: 1/4 kg de flores de tila, 1 litro de agua.

PREPARACIÓN: pon a hervir el agua en un cazo. Retíralo del fuego y añade las flores de tila. Cubre el cazo y déjalo reposar durante 10 minutos. Vierte la infusión todavía caliente en el baño que habrás preparado previamente.

Infusión

Para reforzar el efecto benéfico del baño, mi abuela preparaba la siguiente infusión con una serie de plantas que ejercen una acción sedante sobre el organismo y disminuyen la hiperexcitabilidad nerviosa:

INGREDIENTES: 1 pizca de melisa, 1 pizca de tila, 1 pizca de flor de naranjo, 1 pizca de valeriana, 1 taza de agua.

PREPARACIÓN: pon a hervir el agua en un cazo. Retíralo del fuego y añade la melisa, la tila, la flor de naranjo y la valeriana. Cúbrelo y déjalo reposar durante 5 minutos. Filtra la infusión.

POSOLOGÍA: dado que la acción de estas plantas es más lenta que la de un preparado químico, debes tomar varias tazas de esta infusión antes de que surta efecto. Toma una primera taza a media tarde, una segunda antes de cenar y la última una media hora antes de acostarte, endulzadas con 1 cucharada de miel.

Los consejos de la abuela

- Mi abuela decía que las cenas pesadas son enemigas del sueño. En efecto, las comidas excesivamente ricas y picantes, así como el consumo de alcohol, de tabaco y demás excitantes dificultan poder conciliar el sueño sin problemas. Por el contrario, una cena ligera, a base de ensalada, verduras y cereales integrales predispone favorablemente al sueño.
- Mi abuela aseguraba que tomar un plátano después de la cena ayuda a conciliar el sueño. Esta afirmación tiene en realidad una base científica, ya que se ha demostrado que el plátano es una fruta rica en triptófano, una aminoácido que constituye un eficaz inductor al sueño.
- Cuando éramos pequeños, mi abuela nos preparaba siempre un vaso de leche tibia con una cucharilla de miel y nos decía

que esta bebida nos ayudaría a tener bonitos sueños. En este caso también se ha demostrado que el tradicional vaso de leche de antes de ir a la cama constituye un excelente somnífero natural por su contenido en triptófano y en inositol.

El poder medicinal de la melisa

Nombre científico: *Melissa officinalis*
Planta de la familia de las labiadas

La melisa es una planta originaria del Mediterráneo oriental que debe su nombre a la palabra griega *melissa*, que significa abeja, y que le fue atribuida porque sus flores blancas constituyen una apetecible fuente de néctar para estos insectos.

Los árabes fueron los primeros en alabar las propiedades medicinales de la melisa, aunque en Occidente también se ha prescrito desde antiguo para aliviar un sinfín de afecciones. La melisa adquirió definitivamente sus cartas de nobleza en el siglo XIX cuando entró a formar parte en la composición de la famosa agua del Carmen. Entre las distintas propiedades terapéuticas de la melisa destacan las siguientes:

- La melisa posee propiedades calmantes que la hacen especialmente adecuada para el tratamiento del insomnio, de los pálpitos, de los vértigos, de las neuralgias y de los demás trastornos asociados a un estado de nerviosismo.
- La melisa ejerce una acción antihelmíntica que favorece la expulsión a las lombrices de los conductos intestinales.

El agua de melisa
Sería muy complicado preparar en casa agua del Carmen, pues ésta se obtiene mediante un proceso de destilación. La preparación del agua de melisa tal como te indico a continuación es mucho más sencilla y resulta tan eficaz como aquella:

INGREDIENTES: 2 cucharadas soperas de melisa, 1 cucharada sopera de basílico, 1 cucharada sopera de menta, 1 cucharada sopera de absenta, 1 cucharada sopera de salvia, 1 litro de agua ardiente o bien de alcohol de 45º.

PREPARACIÓN: introduce las distintas plantas en un recipiente de cristal y cúbrelas con el agua ardiente o bien con el alcohol de 45º. Deja macerar la preparación durante 15 días removiendo el recipiente a diario. Transcurrido este plazo, filtra la preparación exprimiendo las hojas para que liberen toda su sustancia. Vierte el alcohol en una botella con tapón de corcho.

POSOLOGÍA: 1 copita de licor al día después de cada comida.

Los furúnculos

El furúnculo consiste en una acumulación de pus importante localizada en un folículo capilar y que está producida por una infección bacteriana, más concretamente por un estafilococo. El furúnculo suele aparecer repentinamente en la cara, las nalgas, las axilas y el cuero cabelludo. Además de resultar muy antiestético, el furúnculo suele ir acompañado de picor, hinchazón local y dolor.

Al cabo de entre 15 a 20 días se desprende un tejido muerto del capilar infectado, es la raíz del furúnculo llamado «clavo».

Cataplasma

Para aliviar el picor e hinchazón provocados por el furúnculo y acelerar el proceso de cicatrización, mi abuela aplicaba esta cataplasma a base de col, una hortaliza rica en beta caroteno, vitamina B y sales minerales:

INGREDIENTES: 2 hojas de col verde, 1 limón, 1 venda.

PREPARACIÓN: quita las nervaduras principales de las hojas de col, lávalas cuidadosamente con agua fría y córtalas en juliana. Exprime el limón y vierte el zumo sobre las hojas de col. Coloca una gruesa capa de col directamente sobre la zona afectada y sujétala con una venda. Deja actuar la cataplasma durante 2 horas.

Cuando el furúnculo se revienta por sí sólo y libera el «clavo», desinfecta la zona afectada con zumo de limón rebajado con agua y una gasa estéril.

Infusión

El tratamiento externo se complementa con esta infusión de acción antiséptica:

INGREDIENTES: 1 cucharada de postre de malva, 1 cucharada de postre de enebro, 1 taza de agua.

PREPARACIÓN: pon a hervir el agua en un cazo. Retíralo del fuego y añade la malva y el enebro. Cúbrelo y déjalo reposar durante 15 minutos. Filtra la infusión.

POSOLOGÍA: 3 tazas al día después de las comidas.

Los consejos de la abuela

- Para ayudar al organismo a eliminar las toxinas, mi abuela decía que es imprescindible seguir una dieta purificante durante 2 semanas. Por lo tanto, nada de comidas pesadas, ni de carnes rojas, ni de embutido, sino verduras, ensaladas y zumos de fruta.

Las hemorragias nasales

Las hemorragias nasales pueden obedecer a causas muy diversas, ya sean internas —como la hipertensión, la fragilidad de los capilares o la anemia—, o bien externas —como un golpe o traumatismo local.

Mi hermano pequeño era muy propenso a sufrir hemorragias nasales y en cuanto empezaba a sangrar acudía de inmediato a mi abuela quien lograba cortar en seco la hemorragia con estos remedios caseros:

Cataplasma

Esta cataplasma combina la acción del frío y de la bolsa de pastor, una planta utilizada desde antiguo por sus propiedades coagulantes (o hemostáticas) y astringentes:

INGREDIENTES: 1 compresa de agua muy fría, 3 cucharadas soperas de bolsa de pastor, 1 taza de agua, 1 poco de algodón.

PREPARACIÓN: en primer lugar, la persona que sangra por la nariz debe sentarse y respirar por la boca.

Aplícale entonces una compresa de agua muy fría sobre la nuca. El frío sobre las vértebras cervicales excita el sistema nervioso simpático, lo que provoca la contracción de los vasos sanguíneos.

Mientras tanto, pon a hervir el agua en un cazo. Retíralo del fuego y añade la bolsa de pastor. Cubre el cazo, déjala reposar durante 5 minutos y fíltrala.

Cuando la infusión esté tibia, empapa un poco de algodón en ella, escúrrelo y forma dos bolitas con las que taponarás los orificios nasales.

Las hemorroides

Las hemorroides consisten en la inflamación de las pequeñas venas situadas en la mucosa ano-rectal. Esta afección resulta particularmente molesta y dolorosa, sobre todo cuando las pequeñas venas llegan a romperse provocando hemorragias.

Las hemorroides pueden tener varias causas. Entre las más comunes destacan la congestión hepática, con el consiguiente aumento de la presión sanguínea en la zona anal. En otros casos, las hemorroides están asociadas al estreñimiento, al embarazo o, todavía con mayor frecuencia, a una alimentación pobre en fibras.

Baños de asiento

Para aliviar el dolor producido por las hemorroides y reducir la inflamación, mi abuela recomendaba realizar baños de asiento con esta infusión de acción antiinflamatoria:

INGREDIENTES: 4 cucharadas soperas de manzanilla, 4 cucharadas soperas de madreselva, 1 cucharada sopera de hamamelis, 2 litros de agua.

PREPARACIÓN: pon a hervir el agua en un cazo. Retíralo del fuego y añade la manzanilla, la madreselva y el hamamelis. Cubre el cazo y déjalo reposar durante 10 minutos.

Posología: realiza baños de asiento 2 veces al día.

Si el dolor es muy intenso, el baño debe estar caliente, para reforzar su acción analgésica. A medida que se produce una mejoría, utiliza agua tibia y, finalmente, fría.

Los consejos de la abuela

- Dado que la aparición de las hemorroides suele estar relacionada muy directamente con la dieta, es imprescindible que evites al máximo el consumo de alimentos picantes, de grasas animales, de embutido, de marisco, de chocolate, de dulce, de alcohol y de tabaco. Por el contrario, debes consumir alimentos ricos en fibras.
- Para aliviar la inflamación, mi abuela recomendaba realizar aplicaciones locales de aceite de caléndula.

El mal aliento

El mal aliento, o halitosis, puede estar provocado por diversas causas, como por ejemplo una caries sin tratar, una dieta demasiado rica en ajo, proteínas y sustancias picantes, por una higiene bucal insuficiente o bien por un problema digestivo.

Mi abuela decía que el aliento resulta tan revelador sobre la salud de una persona como su aspecto. Ciertamente, cuando el mal aliento es intenso y persistente suele ser síntoma inequívoco de trastornos digestivos graves.

Enjuagues bucales

En algunos casos, lavarse los dientes 3 veces al día puede no ser suficiente para eliminar el mal aliento. Para completar la acción del dentífrico mi abuela preparaba esta infusión de acción antiséptica:

Ingredientes: 2 cucharadas soperas de menta, 1 cucharada sopera de salvia, el zumo de 1/2 limón, 2 tazas de agua.

Preparación: pon a hervir el agua en un cazo. Retíralo del fuego y añade la menta y la salvia. Cubre el cazo y déjalo reposar durante 10 minutos. Filtra la infusión y una vez tibia, añade el limón exprimido.

POSOLOGÍA: enjuágate la boca 3 veces al día con esta solución, después de cepillarte los dientes.

Dentífrico casero

Mi abuela contaba que de joven no había utilizado nunca dentífricos comerciales y que tenía los dientes blanquísimos gracias a este preparado casero, que además de eficaz eliminaba todo rastro de mal aliento:

INGREDIENTES: 1/2 cucharilla de café de sal marina muy fina, 1 cucharada de bicarbonato, agua tibia.

PREPARACIÓN: mezcla la sal marina y el bicarbonato en un recipiente y dilúyelos con un poquito de agua tibia. Obtendrás una pasta que puedes utilizar como si se tratara de tu dentífrico habitual, cepillando cuidadosamente encías y dientes.

Los consejos de la abuela

- Para tener buen aliento es imprescindible lavarse cuidadosamente los dientes después de cada comida, de lo contrario se acumulan partículas de los alimentos entre los dientes que, al descomponerse, producen mal olor.
- Una higiene bucal completa no se debe limitar a cepillarse regularmente los dientes sino también la lengua, un órgano donde se acumula una capa de bacterias.
- Para una higiene bucal completa, mi abuela recomendaba lavarse una vez a la semana la boca y la lengua con sal marina. Al terminar, y para mantener los dientes blancos, mi abuela se enjuagaba la boca con el zumo de medio limón diluido en un vaso de agua.

Los trucos de la abuela

- Mi abuela tenía un truco infalible para eliminar el aliento a ajo y a cebolla. Así, cuando en casa se servía una comida aderezada con ajo o cebolla, mi abuela siempre ofrecía a los comensales, justo después del postre, unos granos de café. Al masticarlos, las sustancias aromáticas que libera el café eliminan los efluvios del ajo y de la cebolla.

El poder medicinal de la menta

Nombre científico: *Mentha piperata*
Planta de la familia de las labiadas

A lo largo de la historia, la menta ha sido una de las plantas protagonistas de la fitoterapia, tanto por sus propiedades terapéuticas como por su riqueza aromática. Fueron los griegos quienes llenaron de poesía el origen etimológico de la palabra menta tejiendo esta leyenda: cuando Plutón fue infiel a su esposa Proserpina con la ninfa Minta, la primera, como venganza, transformó a su rival en una planta que desde entonces lleva su nombre.

Existen múltiples variedades del género menta, siendo la más utilizada entre nosotros la denominada menta piperita, de olor intenso y penetrante y cuyo sabor deja en la boca una sensación de frescor muy característica. La medicina popular ha sabido utilizar las propiedades terapéuticas de la menta desde siempre, sobre todo como tónico y estimulante del aparato digestivo.

La menta debe sus propiedades medicinales a sus principios activos, básicamente al mentol, de demostrada eficacia bactericida, y, en segundo lugar, al ácido valeriánico y acético. Entre sus numerosas virtudes terapéuticas destacan las siguientes:

- La menta facilita las digestiones pesadas, impide la fermentación de los alimentos, estimula la vesícula y alivia una serie de trastornos digestivos como los cólicos o los gases estomacales.
- La inhalación de vahos de menta alivia las afecciones del sistema respiratorio, como el asma, la tos o la bronquitis.
- La menta también ejerce una acción analgésica, concretamente en caso de dolores dentales, y actúa como sedante del sistema nervioso.

- Una de las aplicaciones externas de la menta más populares es a modo de cataplasma de hojas frescas para detener la subida de la leche en las madres que estuvieran amamantando.
- Masticar algunas hojas de menta fresca o bien hacer gargarismos con una infusión de menta resulta de gran eficacia para combatir el mal aliento.

Bálsamo de menta

En aplicación externa, el bálsamo de menta permite beneficiarse cómodamente de sus propiedades analgésicas, por ejemplo en caso de dolores reumáticos, musculares, articulares o de gota:

INGREDIENTES: 1 litro de aceite de oliva, 1 puñado de hojas de menta fresca.

PREPARACIÓN: introduce las hojas de menta fresca en un recipiente de cristal, añade el aceite de oliva y cúbrelo con papel de aluminio perforado. Deposítalo en un lugar caldeado o incluso al sol y déjalo macerar durante 45 días, agitando el frasco cada 2 o 3 días. Al cabo de este tiempo, filtra el aceite, exprimiendo las hojas de menta para extraer toda su sustancia, y viértelo en una botella de cristal oscuro con tapón de corcho.

El lumbago

El lumbago consiste en un dolor agudo y paralizante en la base de la espalda, normalmente producido por un esfuerzo muscular excesivo, una mala postura o un gesto violento. Quien lo padece suele quejarse de «dolor de riñones», pero curiosamente esta dolencia no afecta en realidad lo más mínimo a este órgano, sino que se trata de un reumatismo de la base de la espalda.

La juventud de mi abuela transcurrió en un ambiente rural, en el que las tareas que requerían un esfuerzo físico importante formaban parte del día a día. De esos años aprendió a curar el lumbago con remedios naturales, pues por aquel entonces no se conocían los analgésicos ni los antiinflamatorios farmacéuticos.

Cataplasma

Para aliviar el lumbago mi abuela preparaba esta cataplasma a base de avena, un cereal que ejerce una acción calmante sobre los músculos doloridos:

INGREDIENTES: 400 g de avena, 1 litro de agua, 1 paño de algodón, 1 toalla.

PREPARACIÓN: calienta el agua en un cazo y cuando rompa a hervir añade la avena. Déjala hervir durante 15 minutos más, retírala del fuego y escurre la avena. Acto seguido, colócala sobre un trapo de algodón y dobla sus 4 lados hacia el centro de modo que la avena quede en su interior.

Aplica entonces la cataplasma sobre la zona dolorida y recúbrela con una toalla. La persona con lumbago debe permanecer estirada hasta total enfriamiento de la cataplasma de avena.

POSOLOGÍA: 3 veces al día hasta que desaparezca el dolor.

Friegas

Mi abuela conseguía aliviar el dolor producido por el lumbago realizando friegas en la espalda con este aceite de propiedades analgésicas y antiinflamatorias:

INGREDIENTES: 1/4 litro de aceite de oliva, 1/4 litro de alcohol alcanforado, 2 cucharadas soperas de hipérico, 1 cucharada sopera de flores de camomila.

PREPARACIÓN: calienta el aceite de oliva al baño María con el hipérico y la camomila durante 20 minutos. Retíralo del fuego y fíltralo, exprimiendo las plantas para que liberen toda su sustancia. Añade el alcohol y vierte la preparación en una botella con tapón hermético, agitándola enérgicamente para emulsionar los líquidos.

Para realizar las friegas, unta toda la región lumbar con este aceite y realiza un suave masaje con la palma de las manos, partiendo de la columna vertebral hacia los costados. Al finalizar el masaje, recubre la espalda con un paño caliente.

Vino de nísperos

De los años en que había trabajado en el campo, mi abuela conservaba la costumbre de tener siempre en su alacena un vino de nísperos para aliviar el lumbago. Lo cierto, es que siempre había algún familiar o vecino que hiciera buen uso de él:

INGREDIENTES: 100 g de huesos de nísperos, 1 litro de vino blanco seco.

PREPARACIÓN: machaca los huesos de nísperos en un mortero e introdúcelos en la botella de vino blanco. Deja macerar el vino durante todo un día, agitando la botella 4 o 5 veces. Al día siguiente, filtra el líquido y guardarlo en una botella de cristal oscuro.

POSOLOGÍA: este vino se toma a razón de 1 copita de licor por las mañanas, en ayunas.

Las náuseas

Las náuseas no constituyen una dolencia en sí mismas, sino el síntoma de otra patología principal. Las náuseas pueden estar originadas por un sinfín de causas, aunque entre las más frecuentes están los trastornos digestivos, las cefaleas o la reacción ante determinados olores, sin hablar de las que aparecen durante los primeros meses de embarazo y que mi abuela llamaba «un mal muy dulce».

Decocción

Independientemente de su causa, mi abuela lograba aliviar las náuseas con esta decocción de acción digestiva y tonificante:

INGREDIENTES: 1 raíz de jengibre, 1 pizca de menta, 1 taza de agua.

PREPARACIÓN: pon la raíz de jengibre y el agua en un cazo y déjalos hervir durante 5 minutos, con la tapadera puesta. Retira el cazo del fuego, añade la menta, cúbrelo nuevamente y déjalo reposar durante 5 minutos. Filtra la decocción y déjala enfriar.

POSOLOGÍA: 1 taza tibia de esta infusión sin endulzar después de cada comida.

Vino digestivo

Mi abuela siempre guardaba en su alacena una botella de un vino digestivo a base de angélica, una planta con grandes propiedades estomacales y tónicas, muy útiles en caso de náuseas:

INGREDIENTES: 1 litro de vino tinto, 2 cucharadas soperas de raíz de angélica, 1 rama de canela.

PREPARACIÓN: calienta el vino tinto en un cazo con la raíz de angélica y la canela y déjalo hervir durante 15 minutos. Retira el cazo del fuego y deja macerar el vino durante 24 horas. Filtra el vino y viértelo en una botella con tapón de corcho.

POSOLOGÍA: 1 copita de licor de este vino digestivo después de cada comida.

Los trucos de la abuela

- Cuando la sensación de náuseas es intensa, encontrarás un pronto alivio con este remedio casero de lo más sencillo y eficaz: exprime el zumo de 1/2 limón y añádelo a 1 vaso de agua con gas bien fría. Bébetelo de un trago.

El poder medicinal del limón

Este cítrico originario de Irán constituye una maravillosa fuente de vitamina C, una sustancia que no puede almacenar nuestro organismo y que debemos asegurarnos a través de la dieta diaria. El valor nutricional del limón no fue descubierto hasta el siglo XVIII, ya que hasta entonces sólo se utilizaba para preservar la ropa de las polillas y como conservante para el pescado y la carne.

El descubrimiento de las propiedades medicinales del limón se atribuye a un médico de la marina escocesa, el doctor James Lind, quien se dio cuenta de que este cítrico constituía un poderoso remedio contra el escorbuto, una enfermedad que hacía estragos entre la marina de aquella época.

Las propiedades terapéuticas del limón son múltiples, razón por la cual forma parte desde siempre de un sinfín de remedios caseros. Entre las principales, propiedades figuran las siguientes:

- Se ha demostrado que el ácido cítrico presente en el limón facilita la absorción del calcio, mejorando así su acción calcificante.
- En la prevención de los procesos catarrales y gripales el limón juega un papel decisivo, ya que la ingestión habitual de vitamina C permite que el organismo refuerce su sistema inmunitario.
- Por su alto contenido en potasio y bajo nivel de sodio, el limón resulta idóneo en casos de hipertensión arterial así como para combatir la arteriosclerosis.
- El limón actúa como revigorizante en estados de convalecencia y debilidad general.
- El limón posee virtudes antisépticas y bactericidas que lo hacen especialmente indicado para el tratamiento de las afecciones de garganta y de los parásitos intestinales.
- El limón estimula el funcionamiento del aparato digestivo, alivia las digestiones pesadas y los gases estomacales.

El nerviosismo

La vida entraña mil y una situaciones que pueden provocar un estado de tensión y nerviosismo. En la mayoría de los casos, poseemos los suficientes recursos como para superarlos sin necesidad de ayuda, pero cuando el estado de nerviosismo es tan intenso que repercute negativamente en el plano físico y mental de la persona es conveniente recurrir a remedios naturales.

Mi abuela contaba que su propia madre era una persona tremendamente nerviosa, que se sobresaltaba al menor ruido y que vivía en un estado de excitación permanente. En la familia se decía que padecía de nervios desde que el pueblo donde vivía fuera bombardeado durante la guerra civil. Cuando mi abuela se hizo mayor, logró aliviar considerablemente los nervios de su madre con estos remedios naturales:

Infusión

La naturaleza nos ofrece diversas plantas con acción calmante y sedante que sustituyen ventajosamente a cualquier preparado farmacéutico:

INGREDIENTES: 1/2 cucharada de postre de melisa, 1/2 cucharada de postre de valeriana, 1/2 cucharada de postre de pasiflora, 1 taza de agua.

PREPARACIÓN: calienta el agua en un cazo y, cuando rompa a hervir, añade la melisa, la valeriana y la pasiflora. Mantén el hervor durante 1 minuto. Retira el cazo del fuego, cúbrelo y déjalo reposar durante 5 minutos. Filtra la infusión.

POSOLOGÍA: 2 o 4 tazas al día de esta infusión caliente, endulzada con un poco de miel.

El poder medicinal de la valeriana

Nombre científico: *Valeriana officinalis*
Planta de la familia de las valerianáceas

La valeriana es una planta medicinal muy antigua originaria de las regiones templadas de Europa y Asia. Su nombre procede del latín *valere* (vigorizar), de lo que cabe deducir que los romanos ya le atribuían propiedades terapéuticas. Pero no fue hasta el siglo XVI cuando se popularizó la prescripción de la valeriana para aliviar las crisis de epilepsia. Durante los siglos posteriores, a esta aplicación principal se sumaron otras y la valeriana fue utilizada como analgésico, febrífugo y expectorante.

La valeriana contiene diversos ácidos, como los valeriánicos y acéticos, aunque debe sus propiedades terapéuticas básicamente al isovalerianato de bornilo. Entre las principales aplicaciones medicinales de la valeriana figuran las siguientes:

- La aplicación más conocida de la valeriana es, sin duda, como sedante del sistema nervioso, una propiedad que la hace especialmente indicada en caso de insomnio.
- La valeriana actúa como antiespasmódico y anticonvulsivo aliviando la epilepsia, la taquicardia y la hiperexcitabilidad.
- Por su acción antiespasmódica, la valeriana también se prescribe para aliviar los trastornos digestivos, como los vómitos o los parásitos intestinales.

Tintura de valeriana
La tintura constituye una excelente manera de beneficiarse de las propiedades medicinales de la valeriana:
INGREDIENTES: 3 cucharadas soperas de raíces de valeriana, 1/2 taza de alcohol de 70º.
PREPARACIÓN: introduce las raíces de valeriana en un recipiente de cristal y vierte el alcohol. Deja macerar la preparación durante 2 semanas, agitando el recipiente a diario. Filtra el alcohol y viértelo en un frasquito cuentagotas de cristal opaco.
POSOLOGÍA: 3 gotas de tintura diarias en 1 terrón de azúcar.

La otitis

La otitis consiste en la inflamación del oído externo, medio o interno producida por una infección bacteriana. Muy corriente en los niños de corta edad, la otitis provoca un dolor agudo, molestos zumbidos en el oído y, en algunos casos, va acompañada de fiebre, vómitos y náuseas. Tratándose de un adulto, la otitis suele aparecer en el curso de un proceso catarral o gripal.

Advertencia: la aparición de una otitis, sobre todo en niños, requiere la consulta urgente del médico ya que puede acarrear una serie de complicaciones muy severas, pues no olvidemos que los oídos están junto a las meninges.

Aceite

Cuando alguno de mis hermanos o yo misma teníamos otitis, mi abuela iba a buscar en su alacena un pequeño frasco cuentagotas de cristal marrón donde guardaba un aceite de cuya eficacia para calmar el dolor doy fe:

INGREDIENTES: 100 cl de aceite de almendras dulces, 2 cucharadas soperas de hojas de eucalipto, 1 frasco de cristal cuentagotas, 1 gasa.

PREPARACIÓN: lava y seca las hojas de eucalipto. Machácalas finamente en un mortero. Introdúcelas en un frasco de cristal con el aceite de oliva y déjalo macerar durante 1 semana, agitándolo a diario. Tras ello, filtra el aceite con 1 gasa, exprimiendo las hojas de eucalipto para extraer toda su sustancia. Vierte el aceite filtrado en un frasquito cuentagotas de color oscuro, para evitar que se oxide por la luz.

Antes de aplicar el aceite, debes calentar el frasco cuentagotas al baño María. Comprueba que el aceite no queme derramando una gota en el dorso de la muñeca. Vierte 3 gotas en el oído e introduce un poquito de algodón en el interior del conducto auditivo, pero sin hundirlo demasiado.

Cataplasma

Cuando el dolor de oído es intenso, el calor constituye una excelente terapia. Además del aceite, mi abuela lograba aliviar el dolor con esta cataplasma caliente:

INGREDIENTES: 200 g de avena en grano, 1 bolsa de tela de algodón de unos 10 cm de lado.

PREPARACIÓN: calienta la avena en grano en una sartén e introdúcela en una bolsita de tela que cerrarás con unas cuantas punzadas. Aplica la bolsita de avena caliente junto al oído y manténla así hasta que se enfríe. Si es necesario, vuelve a calentar la avena hasta que desaparezca el dolor.

Las picaduras de insecto

Mi abuela conservaba un recuerdo muy vivo de los años que había pasado trabajando en las viñas del sur de Francia. Durante el verano, las altas temperaturas y la uva madura atraían a muchas abejas y avispas, razón por la cual las picaduras eran muy frecuentes.

Advertencia: en nuestras latitudes las picaduras de insecto raramente son peligrosas y con los sencillos remedios que encontrarás a continuación se alivian rápidamente.

Sin embargo, si la persona que ha sido picada por un insecto presentara una reacción alérgica, llamada anafilaxia, es preciso acudir urgentemente al médico, ya que las complicaciones pueden llegar a ser mortales.

Extraer y desinfectar una picadura de insectos

Cuando uno de nosotros era picado por un insecto, mi abuela lograba extraer el dardo y desinfectar la picadura en un santiamén:

INGREDIENTES: alcohol, vinagre o 1 rodajita de limón, algodón.

PREPARACIÓN: cuando se produce una picadura de insecto, lo primero que debes hacer es extraer el dardo con un poco de algodón impregnado en alcohol.

A continuación, debes aplicar sobre la zona afectada 1 algodón empapado en vinagre o 1 rodajita de limón, sujetándolos con 1 tirita o 1 trozo de esparadrapo.

Loción repele insectos

En casa nunca hemos comprado líquido repele insectos ya que mi abuela elaboraba una loción casera que resultaba igualmente eficaz y que, además, desprendía un olor muy agradable:

INGREDIENTES: 2 cucharadas soperas de clavo, 6 cucharadas soperas de tilo, 1 litro de agua.

PREPARACIÓN: pon a hervir el agua con el clavo en un cazo durante 5 minutos. Retíralo del fuego y añade el tilo. Cubre el cazo y déjalo reposar durante 15 minutos. Filtra la loción y guárdala en una botella. Con ayuda de un algodón o con la mano, impregna abundantemente las partes visibles del cuerpo.

Los trucos de la abuela

- Durante las noches más calurosas de verano, para evitar las picaduras de los mosquitos, mi abuela colocaba sobre la mesita de noche o bien al pie de la cama un recipiente en el que había mezclado esencias de lavanda, de toronjil y de geranio, unas plantas cuyo aroma repele a los insectos (ver pág. 186).

El pie de atleta

El pie es una de las partes del cuerpo más predispuesta al contagio de hongos o micosis. En efecto, el sudor, los zapatos cerrados, las fibras sintéticas constituyen un medio húmedo ideal para el desarrollo de los hongos. El llamado pie de atleta es un hongo situado en la zona interdigital de los dedos de los pies. Esta infección empieza por un prurito o picor al tiempo que la piel se vuelve roja y se recubre de una escama opalescente. Suele mantenerse localizada durante mucho tiempo y cuando se propaga a otras zonas del pie o a las uñas su curación resulta mucho más larga y complicada.

Con estos simples remedios caseros podrás eliminarlos fácilmente, sin necesidad de recurrir a preparados farmacéuticos fungicidas, que a menudo incluyen derivados de corticoides.

Cataplasma

Para curar el pie de atleta, mi abuela preparaba una cataplasma a base de ajo y llantén, dos plantas de acción antiséptica y antifúngica:
INGREDIENTES: 1 diente de ajo, 1 cucharada de llantén fresco, 1 tirita o esparadrapo, aceite de almendras dulces.
PREPARACIÓN: en un mortero, machaca el diente de ajo pelado con las hojas frescas de llantén. Aplica una pequeña cantidad de esta mezcla directamente sobre la zona afectada y recúbrela con una tirita o un esparadrapo. Deja actuar la cataplasma durante 1 hora.

Tras ello, lava cuidadosamente la piel y aplica el aceite de almendras dulces, un producto natural de probada eficacia contra todas las dermatosis.

Si no encuentras hojas frescas de llantén, utilízalas secas, preparando una infusión con 1 cucharada sopera de esta planta y 1/2 taza de agua.

Infusión

Como tratamiento complementario al anterior, mi abuela recetaba la siguiente infusión de bardana, una planta cuya denominación popular, «hierba de los tiñosos», evoca claramente su eficacia contra los problemas de la piel.

INGREDIENTES: 1 cucharada sopera de bardana, 1 taza de agua.
PREPARACIÓN: pon a hervir el agua en un cazo. Retíralo del fuego y añade la bardana. Cubre el cazo y déjalo reposar durante 5 minutos. Filtra la infusión.
POSOLOGÍA: 1 taza 3 veces al día.

Los consejos de la abuela

- La falta de higiene constituye un terreno abonado para la aparición de los hongos. Por lo tanto, además del tratamiento indicado, la higiene de los pies debe ser escrupulosa, mañana y noche.
- Debes evitar andar descalzo en lugares públicos, como piscinas, saunas y similares.
- Utiliza siempre calcetines de fibras naturales y zapatos con suela de cuero o de goma.

Las piernas cansadas

La sensación de piernas cansadas es una dolencia provocada por una insuficiente circulación sanguínea. Al no producirse una correcta oxigenación de los músculos y aumentar la presión en el interior de las venas, éstos se vuelven dolorosos.

Esta dolencia se manifiesta localmente por una hinchazón acompañada de enrojecimiento, debido a la retención de líquidos, y por una sensación de calor, especialmente en la zona del tobillo y la rodilla.

El factor hereditario juega un papel determinante en la sensación de piernas pesadas, una dolencia que afecta mayoritariamente a las mujeres, sobre todo a partir de una cierta edad. También influyen una serie de factores externos, como por ejemplo, permanecer muchas horas de pie, llevar tacones altos, la obesidad, la falta de ejercicio físico o una temperatura demasiado alta.

Mi abuela nos contaba que cuando ella trabajaba en el campo, durante las épocas de siembra y cosecha, muchas campesinas sufrían intensos dolores en las piernas y que de aquellos años aprendió a aliviar esta dolencia con remedios naturales.

Aceite para masaje

Para activar la circulación sanguínea, no hay nada como realizar un drenaje natural mediante un buen masaje. Su eficacia será mucho mayor si se realiza con este aceite a base de plantas que ejercen una acción tonificante sobre sistema circulatorio y protectora de las paredes capilares:

INGREDIENTES: 1/4 litro de aceite de oliva, 2 cucharadas soperas de bolsa de pastor, 1 cucharada sopera de camomila, 1/4 litro de alcohol alcanforado.

PREPARACIÓN: calienta el aceite con la bolsa de pastor y la camomila en un cazo al baño María durante 30 minutos. Retíralo del fuego y déjalo macerar durante 24 horas. Fíltralo y añade el alcohol. Viértelo en una botella, agítala enérgicamente para emulsionar el líquido y ciérrala herméticamente.

Vierte una pequeña cantidad de aceite en la palma de las manos y realiza un masaje sobre las piernas, desde el tobillo hasta la rodilla, mañana y noche.

Baños de pies frío/caliente

La alternancia del frío y del calor es otro de los remedios caseros más populares para aliviar la sensación de piernas pesadas. Este método tiene una base científica: la alternancia frío/calor produce una vasodilatación por el calor seguida de una vasoconstricción por el frío, que consigue activar la circulación sanguínea:

INGREDIENTES: 1 puñado de sal marina gruesa, 2 barreños.

PREPARACIÓN: llena un barreño con agua caliente y otro con agua fría. Pon la sal marina en el barreño de agua caliente. Sumerge los pies en primer lugar en el de agua caliente durante 2 minutos y después tan sólo unos segundos en el de agua fría. Repite la operación durante unos 15 minutos.

POSOLOGÍA: realiza estos baños de pies cada noche antes de acostarte.

Los consejos de la abuela

- Para activar la circulación en las piernas, es conveniente que duermas con los pies ligeramente levantados sobre un cojín, o mejor aún colocándolo debajo del colchón.
- Evita, en la medida de lo posible, permanecer muchas horas de pie y los ambientes demasiado caldeados.
- Lleva siempre un zapato cómodo, con tacón bajo y no lleves nunca medias o calcetines demasiado apretados.

Las quemaduras leves

Quemarse con el aceite de la sartén al freír, con la plancha o bien al acercar demasiado las manos a una estufa son de esos pequeños accidentes domésticos que logran un rápido alivio con remedios caseros.

Me estoy refiriendo, claro está, a quemaduras de primer grado, es decir, a las más leves, a aquellas que dejan la piel roja, ligeramente inflamada y dolorosa, y que afectan únicamente a la capa más superficial de la piel. Las de segundo y, por supuesto, tercer grado requieren la consulta urgente de un médico.

Alternar el frío y el calor

Cuando alguien se quemaba en casa, lo primero que hacía mi abuela era sumergir la zona afectada en agua tibia y después fría, y así sucesivamente hasta que desapareciera el dolor.

Si no puedes sumergir en agua toda la zona afectada, obtendrás los mismos resultados con ayuda de unas compresas empapadas en agua tibia y después fría.

Friegas

En tu cocina encontrarás los ingredientes necesarios para aliviar el dolor producido por la quemadura y evitar la aparición de ampollas:

INGREDIENTES: 4 cucharadas de aceite de oliva, 2 cucharadas de vino tinto, gasas.

PREPARACIÓN: mezcla el aceite y el vino tinto en un recipiente y bátelos con un tenedor. Impregna unas gasas o un paño de algodón perfectamente limpio en esta solución y aplícalas sobre la piel afectada. Si no tienes vino tinto, puedes utilizar vinagre.

Cataplasma de hortalizas

Distintas hortalizas de las que tenemos habitualmente en la cocina como la patata, la zanahoria o la col, resultan muy útiles para aliviar el dolor y acelerar la renovación de la piel:

INGREDIENTES: hojas de col, de patata o de zanahoria crudas, 1 gasa.

PREPARACIÓN: pela y lava cuidadosamente la hortaliza que vayas a utilizar. Ráyala o pícala finamente y colócala sobre una gasa o sobre un paño de algodón perfectamente limpio. Aplícala directamente sobre la zona afectada y manténla en contacto con la piel durante 1 hora, con ayuda de un vendaje o pañuelo. Es muy importante que apliques la cataplasma sin demora una vez se haya producido la quemadura.

Quemaduras de sol

Mucho antes de que los dermatólogos dieran la voz de alarma sobre los efectos perniciosos del exceso de sol para la salud, mi abuela ya se mostraba muy crítica con la obsesión por la piel morena que ha invadido nuestra sociedad desde los años sesenta. Sin duda, ella tenía otros cánones de belleza y todavía recordaba la época en que las campesinas casamenteras más presumidas cubrían su rostro con un amplio sombrero para evitar que el sol alterara su tez blanca.

Compresas

Cuando alguien de la familia aparecía con las características quemaduras de sol, además de poner el grito en el cielo, mi abuela preparaba sin demora la siguiente decocción, a base de caléndula, una planta que por su contenido en mucilago ejerce una acción suavizante y descongestionante sobre la piel:

INGREDIENTES: 2 cucharadas soperas de caléndula, 1/2 litro de agua, compresas de gasa, aceite de almendras dulces.

PREPARACIÓN: pon a hervir el agua en un cazo. Retíralo del fuego, añade la caléndula, cúbrelo y déjalo reposar durante 15 minutos. Filtra la infusión y déjala enfriar.

Una vez fría, impregna compresas de gasa o un paño de algodón perfectamente limpio en la infusión y aplícalas directamente sobre la zona afectada.

Para finalizar, realiza un suave masaje con aceite de almendras dulces.

La resaca

Mi abuela se crió en un entorno bastante puritano en el que no se toleraba ni la bebida, ni el juego, ni ninguna otra clase de vicio pernicioso. Pese a ello, en algunas ocasiones muy puntuales, como son una boda o una fiesta mayor, estas reglas estrictas se relajaban y se hacía la vista gorda si alguno de los miembros de la familia —eso sí, siempre que fuera varón— bebía un poco más de la cuenta.

Infusión

Mi abuela contaba que su difunto marido era un santo pero que un par de veces al año la agarraba tan gorda que tenía que ir a buscarlo ella misma a la taberna. A la mañana siguiente, antes de sermonearle, mi abuela le despertaba con este remedio casero contra la resaca:

INGREDIENTES: 1/2 vaso de perejil picado, 1 corteza de naranja, 1 litro de agua.

PREPARACIÓN: pon el perejil, la corteza de naranja y el agua en un cazo y llévalo a ebullición. Déjalo hervir hasta que el líquido se reduzca a la mitad. Fíltralo.

POSOLOGÍA: 2 tazas en ayunas al despertar y otras 2 durante la mañana.

Los consejos de la abuela

- Para paliar la deshidratación producida por el exceso de alcohol y ayudar a purificar el hígado es preciso beber mucho líquido, ya sea agua o bien zumos de frutas.
- Para acelerar este proceso, mi abuela preparaba una deliciosa bebida reconstituyente a base de zumo de zanahoria y limón, endulzado con una cucharada de miel.

La sinusitis

La sinusitis es una inflamación de las mucosas que recubren los senos nasales producida por una infección viral o bacteriana. La sinusitis suele empezar como un simple resfriado hasta que se complica y aparecen sus síntomas característicos: dificultad para respirar por la nariz debido a la acumulación de mucosidad en los sinus y dolor de cabeza, de moderado a intenso. La sinusitis puede ir acompañada o no de secreción, ya que a menudo la mucosidad se encuentra estancada en la cavidad nasal.

Vahos

Mi abuela preparaba vahos con estas plantas de acción antiséptica, balsámica y expectorante para ayudar a descongestionar las fosas nasales:

INGREDIENTES: 1 cucharada sopera de hojas de pino, 1 cucharada sopera de hojas de eucalipto, 1 cucharada de café de tomillo, 2 litros de agua.

PREPARACIÓN: pon a hervir el agua en un cazo y añade las hojas de pino, las hojas eucalipto y el tomillo y mantén la ebullición durante unos segundos.

Retira el cazo del fuego, deposítalo sobre una mesa y realiza vahos con la cabeza tapada con una toalla húmeda, respirando por la boca y por la nariz alternativamente.

POSOLOGÍA: 2 veces al día.

Humidificador natural

El ambiente demasiado seco y caldeado resulta muy perjudicial para la sinusitis, ya que las paredes nasales se resecan y las secreciones se vuelven más espesas.

Lograrás humidificar el ambiente preparando la misma infusión que te acabo de indicar sobre un hornillo, dejándola hervir durante 15 minutos para que los vahos impregnen toda la habitación. Si no tienes hornillo, realiza esta operación en la cocina.

Cataplasma

Para descongestionar los sinus y aliviar el dolor, mi abuela preparaba esta cataplasma:

INGREDIENTES: 2 cucharadas soperas de alholva en polvo, agua.

PREPARACIÓN: mezcla la alholva en polvo con un poquito de agua hasta que obtengas una pasta homogénea. Caliéntala en un cazo a fuego lento, déjala enfriar un poco y aplícala directamente sobre los sinus. Deja actuar la cataplasma hasta que se haya enfriado por completo, en posición estirada.

POSOLOGÍA: 3 veces al día.

El poder medicinal del tomillo

Nombre científico: *Thymus vulgaris*
Planta de la familia de las labiadas

Originario de la cuenca mediterránea, el tomillo ha sido utilizado desde tiempos inmemoriales con fines culinarios pero también como planta medicinal por egipcios, griegos y romanos. Según una leyenda griega, fueron las lágrimas de la hermosa Helena quienes dieron origen a esta planta. Su nombre procede de la palabra griega *thymos* que significa olor y que evoca su aroma tan característico, cercano al del limón y a la verbena.

A partir de la Edad Media, el tomillo se convierte en una de las plantas medicinales más populares, lugar que ha seguido ocupando hasta hoy. En efecto, paralelamente a su uso culinario, la utilización medicinal del tomillo sigue plenamente vigente y la ciencia ha dado la razón al empirismo popular demostrando que posee múltiples virtudes terapéuticas.

El tomillo contiene distintos principios activos, como el timol, el carvacrol y el hexonol al que debe sus propiedades terapéuticas. Entre las principales propiedades destacan las siguientes:

- El tomillo es un poderoso antiséptico, tanto para uso interno en el caso de infecciones de las vías urinarias, de trastornos digestivos y de afecciones del aparato respiratorio, como externo, para el tratamiento de los problemas de la piel y del reumatismo.
- El tomillo también puede actuar como diurético y antiespasmódico.
- El tomillo estimula el aparato digestivo aliviando los gases estomacales y la atonía.
- El tomillo ejerce una acción expectorante por lo que resulta especialmente indicado para el tratamiento de distintas afecciones de las vías respiratorias.

Vino de tomillo

Una buena forma de beneficiarse de las cualidades medicinales del tomillo consiste en elaborar este vino:

INGREDIENTES: 7 cucharadas de flores de tomillo, 1 litro de vino tinto.

PREPARACIÓN: machaca las flores de tomillo en un mortero e introdúcelas en un recipiente de cristal de boca ancha. Añade el vino tinto y déjalo macerar durante 40 días, en un lugar cálido. Cuando este plazo finalice, filtra el fino exprimiendo las flores de tomillo para que liberen toda su sustancia y viértelo en una botella de cristal con un tapón de corcho.

POSOLOGÍA: 1 copita de licor en ayunas.

Los tapones en los oídos

La excesiva producción de cerumen y su acumulación en el conducto del oído son los causantes de los característicos tapones en los oídos. Aunque no constituye ninguna afección grave, la acumulación de cerumen puede producir picores y verdaderas dificultades de audición.

Mi hermano pequeño era muy propenso a tener tapones en los oídos y mi abuela debía usar toda la paciencia del mundo para convencerle de que se los dejara sacar con estos remedios caseros:

Aceite de clavo
Para ablandar la cera depositada en el oído y facilitar la extracción del tapón mi abuela preparaba este aceite:

INGREDIENTES: 5 cucharadas soperas de aceite de almendras dulces, 10 clavos, 1 frasco de cristal cuentagotas opaco, 1 jeringuilla grande.

PREPARACIÓN: calienta el aceite de almendras dulces y el clavo en un recipiente al baño María durante 15 minutos. Deja macerar el aceite todo un día. Fíltralo y viértelo en un frasquito de cristal cuentagotas opaco.

Para aplicar el aceite, calienta previamente el frasco cuentagotas al baño María unos minutos. Comprueba que el aceite no quema poniendo una gota en el dorso de la muñeca y vierte 5 gotas en el oído. Repite la operación durante 3 o 4 días, hasta que la cera se haya reblandecido por completo.

Al quinto día, llena una jeringuilla sin aguja con agua caliente e inyectarla en el oído hasta que el tapón se desprenda suavemente.

La tortícolis

¿Quién no ha padecido alguna vez de tortícolis, es decir, de ese dolor intenso en la zona del cuello que dificulta e incluso impide mover la cabeza? Esta contracción anormal de los músculos del cuello puede responder a múltiples causas, como son una mala postura al dormir, un gesto brusco o un resfriado.

Mi abuela nos contaba que cuando era niña le decían que el tortícolis era un castigo del señor por haber mirado donde no debía...

Cataplasma

Para aliviar el dolor producido por la tortícolis mi abuela preparaba una cataplasma a base de romero, una planta con propiedades analgésicas y antirreumáticas.

INGREDIENTES: 8 cucharadas soperas de romero, 8 cucharadas soperas de avena, 1 vaso de vino tinto, 1 gasa larga.

PREPARACIÓN: pon el vino con el romero y la avena en un cazo y caliéntalos durante 15 minutos a fuego lento. Retira el cazo del fuego y escurre el romero y la avena. Sin dejar que se enfríen, colócalos sobre una gasa lo suficientemente larga como para dar una vuelta al cuello. Dobla los lados de la gasa hacia el interior y aplícala sobre el cuello. Recúbrela con un pañuelo seco.

Conserva la cataplasma sobre el cuello hasta que se enfríe por completo. Al retirarla, seca cuidadosamente la piel y mantén durante todo el día el cuello bien caliente con una bufanda de lana o un pañuelo de algodón, según la época del año.

Friegas de aceite

En su alacena milagrosa mi abuela siempre guardaba un frasquito de este «aceite para tortícolis»:

INGREDIENTES: 1 vaso de aceite de oliva, 2 cucharadas soperas de flores de camomila, 1 cucharada sopera de hipérico, 1 pizca de lavanda, un vaso de alcohol alcanforado.

PREPARACIÓN: calienta el aceite de oliva con la camomila, el hipérico y la lavanda en un cazo al baño María durante 20 minutos. Retíralo del fuego, añade el alcohol, remueve bien y fíltralo, exprimiendo las plantas para extraer todo su jugo. Guarda el aceite en un recipiente y ciérralo herméticamente.

POSOLOGÍA: realiza un suave masaje sobre la zona dolorida 3 veces al día.

El poder medicinal de la lavanda

Nombre científico: *Lavandula officinalis*
Planta de la familia de las labiadas

La utilización de la lavanda por sus propiedades aromáticas se remonta a los romanos que ya perfumaban con ella el agua del baño. De hecho, la palabra lavanda procede del latín *lavare*, que significa lavar. Pero la lavanda no sólo ha sido utilizada desde antiguo en perfumería, dando su nombre a numerosas aguas de colonia, sino que también se ha prescrito desde tiempos remotos por sus distintas propiedades terapéuticas.

En efecto, mucho antes de que se descubriera la existencia de los microbios, la lavanda ya se utilizaba como antiséptico para la curación de llagas, heridas y quemaduras. Entre sus principales aplicaciones medicinales destacan las siguientes:

- Los modernos descubrimientos científicos han dado razón al empirismo propio de la medicina popular al descubrir que la esencia de lavanda constituye un poderoso antiséptico.
- La lavanda ejerce una acción calmante y antiespasmódica que recomienda administrarla como infusión en caso de nerviosismo, ansiedad e insomnio.
- La lavanda es igualmente diurética, desinfectante y tónica, cualidades que la hacen especialmente indicada para el tratamiento de las afecciones de las vías respiratorias y de los estados febriles.
- En aplicación externa, la lavanda ejerce una acción cicatrizante que acelera el proceso de curación de las heridas y demás afecciones de la piel.

Aceite medicinal de lavanda

El aceite de lavanda permite utilizar cómodamente las propiedades terapéuticas de la lavanda, tanto en uso interno como externo:

INGREDIENTES: 1 litro de aceite de oliva, 1 puñado de flores frescas de lavanda *officinalis*.

PREPARACIÓN: introduce las flores de lavanda en un recipiente de cristal transparente y llénalo con el aceite de oliva. Tapa el recipiente y deja macerar la mezcla durante 2 días, si es posible exponiéndola al sol. Al tercer día, filtra el aceite exprimiendo las flores para extraer toda su sustancia. Añade un nuevo puñado de flores al aceite filtrado y déjalo macerar otros 2 días.

Repite la operación hasta que el aceite adquiera un tono oscuro y quede intensamente perfumado, lo que indica que ya está saturado por los principios activos de la lavanda. Fíltralo y viértelo en un recipiente cerrado herméticamente.

Este aceite de lavanda se emplea tanto en tratamiento interno, a razón de 4 o 5 gotas diarias sobre un terrón de azúcar, como en uso externo, para afecciones de la piel.

La úlcera de estómago

La úlcera digestiva consiste en la erosión de la mucosa que recubre el estómago producida por una bacteria parásita del estómago. En la primera fase, se produce una inflamación de la cobertura externa de la mucosa del intestino que a la larga puede degenerar en una erosión de la misma. En los casos más graves se puede llegar incluso a producir una perforación. Por lo tanto, es preciso tener en cuenta que si la úlcera no es tratada a tiempo puede convertirse en una enfermedad grave.

Los síntomas más característicos de la úlcera son el dolor en la boca del estómago, la acidez, los trastornos digestivos, las náuseas y los vómitos.

Junto al tratamiento antibiótico imprescindible para destruir la bacteria responsable de la úlcera, existen distintas plantas que aportan un alivio notable al reducir la producción de ácido clorhídrico en el estómago.

Infusión

Para aliviar el dolor producido por la úlcera mi abuela preparaba esta infusión de acción antiácida y calmante:

INGREDIENTES: 1 cucharada de postre de malvavisco, 1 cucharada de postre de hipérico, 1 taza de agua.

PREPARACIÓN: pon a hervir el agua en un cazo. Retíralo del fuego, añade el malvavisco y el hipérico. Cubre el cazo y déjalo reposar durante 5 minutos. Filtra la infusión.

POSOLOGÍA: 1 taza tibia después de cada comida endulzada con una cucharada de miel.

Los consejos de la abuela

- Para no agravar una úlcera es preciso que suprimas los alimentos picantes y excesivamente salados y que moderes el consumo de carnes, embutidos, fritos y legumbres, así como el alcohol, el café y el tabaco. No olvides que las dietas ricas en proteínas estimulan la secreción gástrica y, por lo tanto, agravan la úlcera.
- Es preferible que comas poca cantidad unas 4 o 5 veces al día a que realices 2 comidas principales.
- Incluye en tu dieta unas buenas dosis de zanahorias y de espinacas, dos hortalizas que poseen un alto contenido en vitamina A, una sustancia que tiene la propiedad de ayudar a regenerar la mucosa del estómago.
- No tomes nunca bebidas muy frías o muy calientes.

Las varices

Las varices son una dilatación de las venas de las piernas producida por una mala circulación de la sangre y por una pérdida de elasticidad de los vasos sanguíneos. Las venas de las piernas presentan un aspecto inflamado y tortuoso. Al problema estético se añade el cansancio, dolor y el picor en las piernas.

Las mujeres tienen mayor propensión a padecer varices que los hombres. El factor hereditario juega un papel determinante en la aparición de las varices, aunque también inciden una serie de condicionantes externos, como son el exceso de peso, permanecer muchas horas de pie o el consumo excesivo de tabaco y alcohol.

Mi abuela decía que si una persona es propensa a padecer varices no se puede hacer nada para evitarlo, aunque sí se podía limitar sus consecuencias. En efecto, las varices son una alteración crónica y evolutiva, aunque con estos remedios naturales lograrás limitar su importancia.

Decocción

En caso de varices, mi abuela recomendaba esta infusión a base de plantas que ejercen una acción protectora de las paredes vasculares al tiempo que activan la circulación sanguínea:

INGREDIENTES: 1 cucharada de postre de semillas de castaño de Indias, 1 cucharada de postre de corteza de hamamelis, 1 taza de agua.

PREPARACIÓN: pon las semillas de castaño de Indias y la corteza de hamamelis en un cazo con el agua y llévala a ebullición con la tapadera puesta durante 5 minutos. Retira el cazo del fuego, cúbrelo y déjalo reposar durante 10 minutos. Filtra la decocción.

POSOLOGÍA: una taza tibia 3 veces al día.

Los consejos de la abuela

- Evita los tacones altos y usa zapatos cómodos.
- No lleves nunca ropa, medias o calcetines demasiado apretados que dificulten la circulación de la sangre.
- Evita permanecer durante muchas horas de pie, ya que esta posición dificulta todavía más la circulación de la sangre.
- Duerme con los pies ligeramente en alto sobre un cojín o, mejor aún, poniéndolo debajo del colchón. Durante el día, siempre que puedas pon los pies en alto.

- Al igual que para todos los problemas circulatorios, es importante que observes una dieta rica en fibra, frutas y verduras frescas y que, por otra parte, moderes el consumo de materias grasas.
- Hidrata a diario la piel con aceites naturales después de la ducha.
- Un ejercicio físico moderado ayuda a prevenir y a aliviar las varices, especialmente los que hacen trabajar las piernas.

Las verrugas

La verruga es una pequeña excrecencia benigna de la piel, de origen vírico y muy contagioso. Este crecimiento anormal de las células epiteliales no reviste mayor problema que el estético, tanto mayor dado que las verrugas suelen aparecer en zonas del cuerpo expuestas, como la cara, el cuello, el escote y las manos.

Resulta curioso que, aunque las verrugas aparecen sobre todo durante la infancia y la adolescencia, en nuestra sociedad se han asociado desde siempre a la fealdad y a la vejez. ¿Acaso no son uno de los atributos más característicos de las brujas?

Advertencia: pese a que las verrugas no revisten gravedad alguna, si su crecimiento fuera exagerado o bien adquirieran un tono oscuro, entonces sí deberás consultar a un médico.

Jugo de celidonia

Una de las plantas más utilizadas por la medicina popular para eliminar las verrugas es la celidonia fresca, tanto es así que en algunos países se la llama «hierba de las verrugas»:

INGREDIENTES: hojas de celidonia fresca.

PREPARACIÓN: lava las hojas de celidonia y sécalas. Aplica el jugo de celidonia fresca directamente sobre la verruga, procurando que no toque la piel sana. Para obtener el jugo, basta con que dobles el tallo fresco de la celidonia sobre la verruga, presionándola entre el pulgar y el índice. A continuación, frota suavemente la verruga con una piedra ponce. Repite la operación 2 veces al día.

Dado que la celidonia fresca sólo se recoge durante la primavera y el verano, el resto del año la puedes aplicar en extracto. También puedes utilizar bardana o gordolobo.

Ungüento

Para reforzar la acción de la celidonia, mi abuela preparaba el siguiente ungüento:

INGREDIENTES: 1 cucharada de postre de aceite de ricino, 1 cucharada de postre de bicarbonato sódico, 1 tirita.

PREPARACIÓN: forma una pasta con el aceite de ricino y el bicarbonato y aplícala directamente sobre la verruga. Recúbrela con una tirita o esparadrapo. Déjala actuar durante toda la noche.

POSOLOGÍA: aplica este ungüento durante 15 días.

segunda parte

El cuidado del cuerpo

Agua de Rosas

Agua de Lavanda

Miel

Crema Nutritiva

Los secretos de belleza de mi abuela

A lo largo de su vida, mi abuela no sólo aprendió a curar las dolencias más comunes con remedios naturales, sino que su interés por el mundo de las plantas le llevó a un terreno algo más frívolo, aunque igual de interesante; la elaboración de algunas recetas de belleza para el cuidado de la piel y del cabello a base de plantas y de productos naturales.

Yo la conocí ya muy mayor, pero siempre oí decir que había sido una mujer muy guapa, un hecho del que dan fe algunas viejas fotografías familiares. También recuerdo muy nítidamente que, cuando yo era niña, sus facciones suaves y armoniosas enmarcadas por su pelo blanco y luminoso me atraían poderosamente, como si de una hada buena se tratara. Y es que hasta los últimos años de su vida, mi abuela se preocupó por el aspecto que ofrecía a los demás y mantuvo una sana coquetería que la impulsaba a seguir cuidando de su pelo y de su piel tal y como lo había hecho durante toda su vida.

Mi abuela pertenecía a un mundo que hoy resulta ya muy lejano. Se crió en un ambiente humilde y rural, en el que las mujeres tenían que desarrollar un papel muy duro dentro de la casa cuidando de los hijos y del marido, pero también fuera, participando en las tareas del campo o bien sirviendo en casas de familias más pudientes. Conociendo el mundo en el que le tocó vivir, siempre me maravilló que hubiera tenido ese sentido innato de la coquetería, esa preocupación por ofrecer el mejor aspecto a los demás, un afán que se traducía en un sinfín de gestos cotidianos, de trucos y remedios de belleza que con muy pocos recursos y utilizando productos naturales obtenían grandes resultados.

El desarrollo de la industria cosmética tal como la conocemos hoy en día es un fenómeno relativamente moderno. Sin embargo, esta industria no satisface una necesidad de consumo propia de nuestro tiempo, como sucede en muchos otros casos, sino casi tan antigua como la misma humanidad.

En efecto, desde la Antigüedad, las mujeres han sabido elaborar ellas mismas toda clase de cremas y ungüentos para realzar su belleza. Así, por ejemplo, la leyenda cuenta que la mítica Cleopatra poseía cientos de recetas para preparar productos de belleza con los que lograba mantener viva su capacidad de seducción. Por otra parte, una de las recetas de crema hidratante más clásicas, —a base de cera de abejas, aceite de oliva y agua de rosas—, se atribuye a Galeno y no ha perdido un ápice de eficacia a través de los siglos.

Las plantas y tu piel

Desde tiempos remotos, el hombre ha sabido utilizar las propiedades de las plantas con fines curativos, pero también para preparar con ellas productos de belleza para el cuidado de la piel. Tradicionalmente, las plantas se agrupan en función de la acción que ejercen sobre la piel. Éstos son los principales grupos de plantas:

Plantas de acción astringente
Las plantas astringentes ejercen una acción vasoconstrictora, descongestiva y antiinflamatoria. Su principal efecto sobre la piel consiste en disminuir la secreción sebácea y cerrar los poros dilatados. Entre las plantas astringentes más comunes figuran el hamamelis, la ortiga blanca, la rosa roja, el nogal...

Plantas de acción emoliente
Son plantas que poseen unos componentes, como el almidón y los mucílagos, que tienen la propiedad de absorber y retener el agua, lo que contribuye a mantener el nivel de hidratación de la piel. Entre las plantas emolientes más comunes figuran la caléndula, la malva, la arnica, el llantén, la borraja, el hamamelis, el pensamiento...

Plantas de acción nutritiva
Estas plantas contienen un porcentaje elevado de glicéridos, ácidos grasos, vitamina E y demás elementos que nutren la piel evitando la pérdida de agua. Los distintos aceites vegetales ejercen una acción nutritiva sobre la piel.

Productos de base para preparar tus recetas de belleza

Cuando llegué a la adolescencia, mi abuela se divertía explicándome sus recetas de belleza e introduciéndome en un mundo de cremas, tónicos faciales y mascarillas naturales. En aquel entonces no le presté demasiada atención, aunque sí me quedaron dos cosas claras: la elaboración de estos productos es muy sencilla y su composición se basa en una serie ingredientes básicos, como el agua de rosas, el aceite de almendras o la cera de abejas, unos productos económicos y sumamente eficaces.

El aceite de almendras

Este aceite de gran poder nutritivo se extrae de las almendras dulces y se utiliza desde antiguo como hidratante corporal. También entra en la composición de numerosas cremas, jabones o aceites para masajes.

El aceite de germen de trigo

Éste es otro de los grandes clásicos de los preparados caseros debido a su alto contenido en vitamina E. Por su poder hidratante, se utiliza para enriquecer numerosas cremas antiarrugas, además de emplearse como conservante natural.

En los últimos tiempos se ha hablado mucho de este ingrediente por su capacidad para neutralizar los llamados radicales libres, responsables del envejecimiento.

El aceite esencial de lavanda y de menta

Las recetas de belleza de mi abuela no contienen ningún conservante, pero en algunos casos incluyen unas gotas de aceite esencial de lavanda y de menta, unas plantas de acción antiséptica que se vienen utilizado desde la Antigüedad como conservantes para la elaboración de cremas y ungüentos.

La glicerina

La glicerina es una grasa de origen animal —aunque también existe otra variedad de origen vegetal menos utilizada en cosmética—, que constituye un excelente suavizante y humectante de la piel. La glicerina entra en la composición de numerosos jabones y cremas hidratantes.

La lanolina

La lanolina es una cera que se extrae de la lana de oveja. Por su alto poder hidratante se utiliza como crema nutritiva y como excipiente en numerosos productos de cosmética.

La levadura de cerveza

La levadura de cerveza es un producto natural obtenido a partir de células vivas de levadura. Constituye la fuente natural más rica en vitamina B, razón por la cual resulta muy indicada para todas las alteraciones no sólo de la piel, sino también de las uñas y de las mucosas. Por ello, la levadura de cerveza se ha recetado desde hace décadas en uso interno para el tratamiento de diversas afecciones cutáneas, especialmente del acné. La levadura de cerveza se aplica también de forma externa y entra en la composición de diversas cremas y mascarillas hidratantes.

La manteca de cacao

Esta materia grasa se obtiene a partir de las semillas del árbol del cacao y se utiliza como hidratante corporal, así como para preparar cremas nutritivas y protectores labiales.

La tierra de batán

La tierra de batán consiste en una arcilla extraída de la orilla del mar y, por lo tanto, es rica en sales minerales y oligoelementos. La tierra de batán se utiliza en cosmética básicamente por sus propiedades purificantes y astringentes. También contiene un alto porcentaje en sílice, una sustancia con alto poder nutritivo para la piel.

La vaselina

La vaselina es una grasa obtenida a partir de un derivado del petróleo utilizada tradicionalmente en medicina y farmacia por su poder lubrificante. En cosmética, entra en la composición de numerosas cremas protectoras y como base para distintos preparados caseros.

Productos de belleza natural en tu despensa

Para elaborar las recetas de belleza de mi abuela, además de los productos de base que te acabo de enumerar, necesitarás distintos alimentos de los que tienes habitualmente en casa. Como podrás comprobar a continuación, éstos tienen sorprendentes propiedades cosméticas y resultan muy útiles para preparar un sinfín de recetas de belleza:

El aceite de oliva

El aceite de oliva es un excelente hidratante natural rico en vitamina E y en lecitina que se ha utilizado desde la Antigüedad como hidratante natural. A diferencia de otros aceites vegetales, no se altera por la cocción a altas temperaturas y además se conserva durante más tiempo.

Para la elaboración de las distintas recetas de belleza es preferible que utilices siempre aceite de oliva virgen extra, que no ha sido refinado químicamente.

El azúcar blanco

Los diminutos granos de azúcar resultan idóneos para elaborar un *peeling* casero a la vez que ejercen una acción antiséptica sobre la piel.

El huevo

El huevo contiene lecitina, un ácido graso que contribuye a mantener la piel sana e hidratada. La yema de huevo contiene un 10% de lecitina pura, razón por la cual se incluye en muchas recetas de belleza para la piel y el cabello en las que actúa como agente emulsionante.

La leche y el yogur

La lecitina contenida en estos lácteos tiene distintos nutrientes que la piel absorbe con facilidad. Además de hidratar la piel, los lácteos tienen propiedades calmantes, por lo que resultan muy útiles para la preparación de leches limpiadoras, cremas y mascarillas.

El limón

Este cítrico representa una fuente inagotable de vitamina C, una sustancia imprescindible para producir el colágeno. Además, el limón tiene propiedades revitalizadoras y astringentes muy útiles para el cuidado de la piel, especialmente de la grasa.

La miel

La miel ha sido utilizada desde la Antigüedad como producto de belleza. Esta sustancia natural ejerce una acción hidratante y suavizante a la vez que astringente y antiséptica sobre la piel.

El pepino

Esta hortaliza contiene una cantidad importante de vitamina C y de nutrientes que ejercen una acción calmante, refrescante y levemente astringente sobre la piel. Uno de los usos más tradicionales del pepino es en aplicación local para reducir la hinchazón de los ojos.

El vinagre

El vinagre es el producto multiusos por excelencia. A sus virtudes medicinales y a sus aplicaciones para el hogar se suman sus propiedades cosméticas. En efecto, el vinagre es un excelente astringente natural y además contribuye a restaurar el nivel de acidez y el pH de la piel. El vinagre es igualmente un producto utilizado tradicionalmente para el cuidado del cabello.

La zanahoria

Es una hortaliza muy rica en betocaroteno, una vitamina fundamental para la piel que actúa como antioxidante, es decir, que contrarresta la acción de los radicales libres, los principales responsables del envejecimiento cutáneo.

La conservación de los productos de belleza caseros

Como puedes suponer, las recetas de belleza de mi abuela no incluyen ningún tipo de conservantes, de colorantes ni de ninguna otra sustancia química y en este hecho radica precisamente uno de sus atractivos. Pero en contrapartida, su periodo de conservación es mucho más corto que el de los productos cosméticos industriales.

Recuerda que, como norma general, el plazo de conservación de los productos de belleza caseros es el siguiente:

- Los que se elaboran con frutas o verduras frescas no se conservan más de 1 o 2 días en la nevera.
- Los que contienen leche o yogur también son de utilización inmediata y en todo caso no se conservan más de 2 o 3 días en la nevera.
- Las recetas de belleza que no incluyen ni verduras, ni fruta fresca ni lácteos, se conservan entre 2 y 3 semanas, pero nunca durante más tiempo.

Utensilios básicos

Como comprobarás a continuación, la preparación de las recetas de belleza de mi abuela es muy sencilla. Además de los ingredientes indicados en cada receta, necesitarás una serie de utensilios, muchos de los cuales ya se encuentran seguramente en tu cocina. Te recomendamos que los utilices específicamente para preparar las recetas de belleza... no vaya a ser que tu crema nutritiva acabe oliendo a ajo (!). A modo orientativo, éstos son los utensilios que necesitarás:

- una balanza para medir cantidades pequeñas;
- un mortero para triturar ingredientes;
- un vaso graduado para medir líquidos;
- una cacerola pequeña y otra grande para calentar los ingredientes al baño María, preferentemente esmaltadas, de hierro colado o de pírex;
- cucharas y espátulas de madera para remover las preparaciones;
- un embudo pequeño para embotellar tónicos y lociones;
- un colador metálico fino y otro de tela;
- una batidora eléctrica para las mascarillas y demás productos a base de fruta y de lácteos;
- tarros y botellas para guardar los productos de belleza, preferentemente de cristal, para poderlos esterilizar, y con un tapón de rosca;
- etiquetas para poner en los recipientes el nombre del producto y la fecha de su preparación.

Algunos consejos antes de empezar

La elaboración de los productos de belleza caseros resulta muy sencilla, basta con que sigas las indicaciones que encontrarás para cada receta. Sin embargo, antes de empezar, es conveniente que tengas en cuenta estas recomendaciones básicas:

- Las recetas que te indicamos a continuación están pensadas para que prepares poca cantidad de producto a la vez ya que, al no llevar conservantes ni agentes químicos, estos productos no se pueden conservar durante mucho tiempo.

- Por otra parte, para que tus recetas de belleza no se conviertan en un caldo de cultivo de bacterias, es preciso que respetes unas precauciones de higiene mínimas, como son limpiarte cuidadosamente las manos antes de empezar y esterilizar los tarros de cristal y demás recipientes donde guardarás los productos que hayas preparado hirviéndolos previamente durante 10 minutos.

- Acostúmbrate a poner una etiqueta sobre cada producto con el nombre del mismo y, sobre todo, con su fecha de preparación. Esta sencilla precaución evitará que utilices productos caducados.

- Utiliza tarros de cristal que puedas hervir para esterilizarlos y preferentemente de color opaco. De este modo evitarás que los productos se oxiden al entrar en contacto con la luz.

- Cuando la receta incluya agua, recuerda que no debes utilizar nunca agua del grifo, que contiene demasiado cloro y sustancias químicas, sino agua destilada de la que venden en la farmacia. En su defecto, puedes hervir agua, filtrarla y dejarla enfriar.

Las recetas de belleza de mi abuela para el cuidado de la piel

Si las mujeres de hoy siguiéramos el ejemplo de mi abuela, acarrearíamos sin duda la ruina de las grandes multinacionales de la cosmética, pues ella preparaba en casa la mayoría de las cremas y lociones que utilizaba.

Las plantas han representado siempre una fantástica fuente para la preparación de estos productos de belleza. En este sentido, mi abuela fue heredera de una tradición popular que mediante el empleo de plantas y de ingredientes naturales y con técnicas ancestrales satisface una necesidad casi universalmente femenina: la de embellecer el cuerpo con productos para la piel y el cabello.

La crema limpiadora

Mi abuela decía que para tener un bonito cutis el primer paso consiste en limpiarlo en profundidad, por la mañana y por la noche, pero siempre utilizando productos suaves que no lo resequen.

Además de eliminar los posibles restos de maquillaje, de impurezas y de polución, al limpiar el cutis con una crema limpiadora lograrás reducir el exceso de grasa y eliminar las partículas de piel muerta acumuladas.

A continuación, encontrarás recetas para preparar tu crema limpiadora, adaptada a cada tipo de piel:

Crema limpiadora para pieles secas

INGREDIENTES: 4 cucharadas soperas de flores de manzanilla, 20 g de cera de abejas, 1 cucharada de postre de aceite de oliva, 3 cucharadas de postre de aceite de almendras dulces, 1 taza de agua.

PREPARACIÓN: en primer lugar, prepara una infusión con las flores de manzanilla: pon a hervir el agua en un cazo, retíralo del fuego, añade las plantas, cúbrelo y déjalo reposar durante 15 minutos. Filtra la infusión y déjala reposar durante 4 horas.

Calienta la cera de abejas en un cazo al baño María hasta que se derrita, removiendo constantemente con una espátula de madera. Añade el aceite de oliva y el aceite de almendras dulces y remueve bien.

Calienta la mezcla unos minutos más sin dejar de remover y retira el cazo del fuego. Deja que se enfríe removiendo constantemente y añade entonces la infusión de manzanilla. Guarda la crema en un tarro de cristal con tapón de rosca.

Crema limpiadora para pieles normales

INGREDIENTES: 40 g de manteca de cacao, 2 cucharadas soperas de aceite de almendras dulces, 2 cucharadas soperas de miel, 5 gotas de aceite esencial de manzanilla, 50 cl de agua de rosas.

PREPARACIÓN: calienta la manteca de cacao y el aceite de almendras dulces en un cazo al baño María, removiendo constantemente con una espátula de madera hasta que se derrita la manteca de cacao. Retira el cazo del fuego, añade la miel y sigue removiendo hasta que se enfríe por completo. Por último, añade el aceite esencial de manzanilla, el agua de rosas y remueve bien. Guarda la crema limpiadora en un tarro de cristal con tapón de rosca.

Crema limpiadora para pieles grasas o con tendencia acnéica

INGREDIENTES: 30 g de cera de abejas, 2 cucharadas de aceite de oliva, 2 cucharadas de postre de tierra de batán, 3 gotas de aceite e... limón, 50 cl de agua de rosas.

PREPARACIÓN: calienta la cera de abe... cazo al baño María, removien... de madera hasta qu... pleto. Reti... fríe tota... mueve...

En... lien... de... bi...

C... Si... de i... instan... dos ali...

Crema l...
INGREDIE... leche.

El tónico facial

Tal como su nombre indica, e... piel, además de refrescar, revital... la aplicación de la crema limpiadora... Es importante que utilices un tóni... En efecto, las pieles más finas y sensibles... afección cutánea como la cuperosis, no...

Crema...
INGREDI...
das de yog...
PREPARACIÓN...
tenedor hasta q...
con la yema de lo...
unos minutos y ret...

PREPARACIÓN: pela el melocotón y córtalo en trozos pequeños. Mézclalo con la crema de leche y tritura ambos ingredientes con una batidora eléctrica.

Aplícate la crema limpiadora sobre el cutis con la yema de los dedos, realizando un suave masaje. Déjala actuar unos minutos y aclárate con abundante agua.

Si no tienes a mano un melocotón maduro, puedes utilizar zumo de melocotón, a razón de un par de cucharadas soperas.

Crema limpiadora instantánea para piel normal
INGREDIENTES: 1 pepino mediano, 1 yogur natural, 1 cucharada de postre de aceite de almendras dulces.
PREPARACIÓN: pela el pepino y córtalo en trozos pequeño. Pon la pulpa del pepino, el yogur y el aceite de almendras dulces en un recipiente y tritúralos con una batidora eléctrica.

Aplícate esta crema limpiadora sobre el cutis y el cuello con ayuda de un algodón. Déjala actuar unos minutos y retírala con abundante agua tibia.

Crema limpiadora instantánea para piel grasa
INGREDIENTES: 1 cucharada sopera de vinagre de sidra, 3 cucharadas de yogur.

PREPARACIÓN: en un recipiente, mezcla el vinagre y el yogur con un tenedor hasta que obtengas una crema suave. Aplícatela sobre el cutis con la yema de los dedos, realizando un suave masaje. Déjala actuar unos minutos y retírala con abundante agua.

el tónico facial tonifica, da tono a la piel, ayuda a neutralizar y calmar el cutis después de la limpieza.

Utiliza el tónico adecuado a tu tipo de piel. Las pieles muy secas y las que padecen de algún problema no toleran lociones ni tónicos con alcohol. En cambio, las pieles grasas agradecen un tónico de acción astringente que limite la producción de sebo y ayude a cerrar los poros dilatados.

Tónico para piel seca

INGREDIENTES: 4 cucharadas soperas de flores de manzanilla, 1 taza de agua, 50 cl de agua de rosas, 1 cucharada sopera de aceite de almendras dulces.

PREPARACIÓN: en primer lugar, prepara una infusión con las flores de manzanilla: pon a hervir el agua en un cazo, retíralo del fuego, añade las flores de manzanilla, cúbrelo y déjalo reposar durante 10 minutos. Filtra la infusión y déjala enfriar.

En una botella, vierte el agua de rosas, la infusión de manzanilla y el aceite de almendras dulces. Agita enérgicamente la botella para lograr emulsionar el tónico.

Tónico para piel normal

INGREDIENTES: 4 cucharadas soperas de malva, 25 cl de agua de hamamelis, 25 cl de agua de azahar, 1 taza de agua.

PREPARACIÓN: en primer lugar, prepara la infusión de malva: pon a hervir el agua en un cazo, retíralo del fuego, añade la malva, cúbrelo y déjalo reposar durante 10 minutos. Filtra la infusión, déjala enfriar y añade el agua de hamamelis y el agua de azahar.

Vierte el tónico en una botella y agítala enérgicamente para que los distintos ingredientes se mezclen bien.

Tónico para piel grasa

INGREDIENTES: 50 cl de agua de rosas, 4 cucharadas soperas de hamamelis, 3 gotas de aceite esencial de limón, 1 taza de agua.

PREPARACIÓN: en primer lugar, prepara una infusión con el hamamelis: pon a hervir el agua en un cazo, retíralo del fuego, añade la planta, cúbrelo y déjalo reposar durante 5 minutos. Filtra la infusión y déjala enfriar.

Vierte el agua de rosas, la infusión de hamamelis y el aceite esencial de limón en una botella. Agítala enérgicamente para lograr emulsionar el tónico.

Tónico para eliminar brillos

INGREDIENTES: 4 cucharadas soperas de agua de rosas, 2 cucharadas soperas de agua de colonia.

PREPARACIÓN: en primer lugar, lávate la cara con agua bien caliente y a continuación con agua fría.

Mezcla el agua de rosas con el agua de colonia en un recipiente y remueve bien. Aplícate este tónico sobre el cutis con un algodón, evitando el contorno de ojos y la boca e insistiendo en la zona de la nariz y de la frente.

Tónico para los poros dilatados

INGREDIENTES: 5 cucharadas soperas de hamamelis, 1 cucharada de postre de piel de limón rayada, 1 taza de agua, 25 cl de alcohol de 90º, 50 cl de agua de rosas.

PREPARACIÓN: en primer lugar, prepara la infusión con el hamamelis: pon a hervir el agua en un cazo, retíralo del fuego, añade el hamamelis y el limón rayado. Cubre el recipiente y déjalo reposar durante 15 minutos. Filtra la infusión y déjala enfriar.

Vierte la infusión en una botella, añade el alcohol, el agua de rosas y agítala enérgicamente para que se mezclen bien todos los ingredientes.

El agua de rosas, un clásico de ayer y de hoy

En el tocador de mi abuela no podía faltar nunca una botellita de agua de rosas, un tónico que ejerce una acción astringente y tonificante adecuada para todo tipo de piel.

En la farmacia encontrarás agua de rosas embotellada a un precio muy asequible, pero también la puedes preparar tú misma con la esta receta de mi abuela:

INGREDIENTES: 6 puñados de pétalos de rosas, 1 litro de agua destilada.

PREPARACIÓN: es importante que utilices rosas perfumadas y no de las que proceden de invernadero y han perdido todo su aroma.

Pon a hervir el agua destilada en un cazo. Retíralo del fuego y añade los pétalos de rosa procurando que queden todos bien empapados. Cubre el cazo y deja reposar el agua de rosas durante 15 minutos. Déjala enfriar, fíltrala y viértela en una botella con tapón hermético.

Tónicos instantáneos
Si no tienes tiempo de elaborar los tónicos faciales que te acabo de indicar, obtendrás una loción tonificante instantánea combinando el agua de rosas con distintos alimentos como frutas, hortalizas o leche.

Tónico instantáneo para piel seca
INGREDIENTES: 1 rodaja de melón, 2 cucharadas soperas de agua de rosas, 1 cucharada sopera de leche.
PREPARACIÓN: pela la rodaja de melón y pásala por la licuadora —si no tienes licuadora puedes cortar finalmente la pulpa y triturarla con ayuda de un tenedor—. En un recipiente, mezcla el zumo de melón con el agua de rosas y la leche y bate enérgicamente la mezcla con un tenedor.

Aplícate el tónico sobre el rostro con un algodón. Déjalo actuar durante 5 minutos y aclárate con abundante agua.

Tónico instantáneo para piel normal
INGREDIENTES: 1 hoja de lechuga, 1/2 taza de agua, 2 cucharadas soperas de agua de rosas.
PREPARACIÓN: calienta el agua en un cazo. Cuando rompa a hervir añade la lechuga cortada en trocitos y mantén la ebullición durante 5 minutos.

Retira el cazo del fuego, filtra el líquido y déjalo enfriar. Añade entonces el agua de rosas.

Aplícate este tónico sobre el cutis con un algodón y déjalo secar.

Tónicos instantáneos para piel grasa
INGREDIENTES: 3 cucharadas soperas de agua de rosas, el zumo de media naranja.
PREPARACIÓN: mezcla el agua de rosas y el zumo de naranja en un recipiente y aplícate la mezcla sobre el cutis con un algodón. Deja actuar unos minutos y aclárate con abundante agua fría.

La crema nutritiva

Una piel bonita es siempre una piel bien hidratada. Las cremas nutritivas son indispensables para proporcionar a la piel la hidratación y los nutrientes que necesita. Por otra parte, mi abuela decía que es necesario «abrigar» la piel y protegerla frente a las agresiones externas como el viento, el sol, el frío o la sequedad ambiental, con una buena crema nutritiva. En efecto, las cremas forman una película protectora sobre la superficie de la piel que limita su deshidratación.

Crema nutritiva para piel seca
INGREDIENTES: 25 g de vaselina blanca, 2 cucharadas soperas de aceite de almendras dulces, 1 cucharada de postre de aceite de germen de trigo, 2 cucharadas soperas de agua de rosas.
PREPARACIÓN: derrite la vaselina en un cazo al baño María, removiendo constantemente con una espátula de madera. Sin retirarla del fuego, vierte poco a poco el aceite de almendras dulces y el aceite de germen de trigo, removiendo constantemente. Retira el cazo del fuego y añade el agua de rosas, removiendo hasta que obtengas la consistencia de una crema suave. Una vez fría, guarda esta crema en un tarro de cristal con tapón de rosca.

Crema nutritiva para piel normal
INGREDIENTES: 10 g de cera de abejas, 2 cucharadas soperas de aceite de oliva, 2 g de alcohol cetílico rayado, 20 cl de agua de rosas.
PREPARACIÓN: derrite la cera de abejas en un cazo al baño María removiendo constantemente con una espátula de madera. Cuando esté totalmente líquida, añade el aceite de oliva, sin dejar de remover. Retira el cazo del fuego, añade el alcohol cetílico rayado y el agua de rosas y remueve bien.
Una vez fría, guarda esta crema en un tarro de cristal con tapón de rosca.

Crema nutritiva para piel grasa
INGREDIENTES: 50 g de lanolina, 2 g de alcohol cetílico rayado, 100 cl de agua de rosas.

PREPARACIÓN: derrite la lanolina en un recipiente al baño María, removiendo constantemente con una espátula de madera. Cuando esté bien líquida, añade el agua de rosas, sin dejar de remover. Retira la mezcla del fuego y añade el alcohol cetílico, removiendo hasta que obtengas la consistencia de una crema suave. Deja enfriar la crema y guárdala en un tarro de cristal con tapón de rosca.

Crema nutritiva para el cuello

El cuello es una de las partes del cuerpo que envejece con mayor rapidez. La piel del cuello es extremadamente fina y es preciso hidratarla a diario con una crema específica. Este preparado casero a base de mayonesa posee un poder hidratante sorprendente:

INGREDIENTES: 40 g de lanolina, 3 cucharadas soperas de mayonesa.

PREPARACIÓN: calienta la lanolina al baño María removiendo constantemente con una espátula de madera hasta que se derrita por completo. Añade la mayonesa y sigue calentando la mezcla unos minutos, sin dejar de remover. Retira el cazo del fuego y sigue removiendo hasta que se enfríe del todo. Guarda la crema en un frasco de cristal con tapón de rosca.

Crema nutritiva para el cuerpo

Normalmente, solemos prodigar menos cuidados a la piel del cuerpo que a la de la cara, aunque aquella tenga las mismas necesidades de hidratación y de protección. Para mantenerla suave y tersa, nútrela a diario con esta crema:

INGREDIENTES: 4 cucharadas soperas de aceite de germen de trigo, 30 g de lanolina, 10 g de cera de abejas, 8 gotas de aceite esencial de geranio, 1/2 taza de agua.

PREPARACIÓN: calienta el aceite de germen de trigo, la lanolina y la cera de abejas en un cazo al baño María, removiendo constantemente con una espátula de madera hasta que la mezcla se haya derretido por completo. Retira el cazo del fuego, añade el agua y sigue removiendo hasta que se enfríe. Añade entonces el aceite esencial de geranio y remueve bien. Una vez fría, guarda la crema en un tarro de cristal con tapón de rosca.

Crema protectora labial

La piel de los labios es muy fina y delicada y puede resecarse muy fácilmente por el frío y el sol, razón por la cual es necesario protegerla a diario con esta crema hidratante:

INGREDIENTES: 25 g de manteca de cacao, 1 cucharada de postre de aceite de germen de trigo.

PREPARACIÓN: derrite la manteca de cacao en un recipiente al baño María, removiendo constantemente con una espátula de madera. Cuando esté líquida, añade el aceite de germen de trigo y remueve hasta que obtengas una pasta fina. Retira la crema del fuego, déjala enfriar y guárdala en un pequeño tarro con tapón de rosca.

Las mascarillas

Además de cuidar a diario tu piel limpiándola en profundidad con sustancias suaves, tonificándola e hidratándola, es conveniente que una vez a la semana refuerces la acción de estos productos con una mascarilla.

Mi abuela decía que la mejor forma de aplicarse una mascarilla es intentando relajarse y permaneciendo unos minutos en posición estirada.

Como verás a continuación, encontrarás muchos de los ingredientes necesarios para elaborar las mascarillas de belleza de mi abuela en tu propia cocina:

Mascarilla hidratante para piel seca

INGREDIENTES: 1/2 yogur, 1 cucharada sopera de miel, 1 cucharada sopera de aceite de almendras.

PREPARACIÓN: en un recipiente, mezcla el yogur, la miel, el aceite de almendras y bátelos hasta que obtengas una crema homogénea. Aplícate la mascarilla con la yema de los dedos sobre la piel limpia y seca, evitando el contorno de ojos y la boca, y déjala actuar durante 20 minutos. Aclárate con agua abundante.

Mascarilla hidratante para piel normal

INGREDIENTES: 2 cucharadas soperas de castaño de Indias en polvo, 2 cucharadas soperas de agua de hamamelis, 2 cucharadas de postre de aceite de almendras dulces, 1/2 yogur.

PREPARACIÓN: en un recipiente, mezcla el castaño de Indias con el agua de hamamelis hasta que obtengas una pasta homogénea. Añade el aceite de almendras dulces y sigue removiendo hasta la total absorción del aceite. Por último, añade el yogur y remueve bien.

Aplícate la mascarilla con la yema de los dedos sobre la piel limpia y seca, evitando el contorno de ojos y la boca, y déjala actuar durante 15 minutos. Retírala con abundante agua tibia.

Mascarilla purificante para piel grasa

INGREDIENTES: 2 hojas de laurel, 1 taza de agua, 1 tomate maduro, 1 clara de huevo, 1 cucharada sopera de levadura de cerveza en copos.

PREPARACIÓN: en primer lugar, prepara una infusión con las hojas de laurel: pon a hervir el agua en un cazo, retíralo del fuego, añade las hojas de laurel, cúbrelo y déjalo reposar durante 5 minutos. Filtra la infusión, déjala enfriar y resérvala.

Pela y tritura el tomate maduro. Monta la clara a punto de nieve y mézclala con el tomate triturado. Añade la levadura de cerveza en copos, 2 cucharadas soperas de infusión de laurel —reserva el resto— y remueve bien.

Aplícate la mascarilla sobre el cutis limpio y seco con ayuda de un pincel. Déjala actuar durante 15 minutos y retírala con un algodón empapado en el resto de infusión de laurel.

Mascarilla astringente para poros abiertos

INGREDIENTES: 2 cucharadas soperas de tierra de batán, 1 cucharada sopera de romero, 1/2 taza de agua, 1 clara de huevo.

PREPARACIÓN: en primer lugar, prepara una infusión con el romero: pon a hervir el agua en un cazo, retíralo del fuego, añade el romero, cúbrelo y déjalo reposar durante 5 minutos. Filtra la infusión, déjala enfriar y resérvala.

Mezcla la tierra de batán con la infusión de romero hasta que obtengas una pasta homogénea. Añade por último la clara de huevo batida y remueve bien. Aplícate la mascarilla sobre la piel limpia y seca con la yema de los dedos, evitando el contorno de los ojos y la boca. Deja actuar la mascarilla durante 15 minutos y retírala con abundante agua fría.

Mascarilla descongestionante

INGREDIENTES: 1 cucharada sopera de eufrasia, 1 pizca de té, 1 yogur, 3 cucharadas de nata fresca.

PREPARACIÓN: en primer lugar, prepara la infusión con la eufrasia y el té: pon a hervir el agua en un cazo y añade las plantas, retíralo del fuego, cúbrelo y déjalo reposar durante 5 minutos. Filtra la infusión, déjala enfriar y resérvala.

En un recipiente, mezcla el yogur y la nata fresca con la mitad de la infusión. Reserva el resto. Aplícate la mascarilla sobre la piel limpia y seca con la yema de los dedos evitando el contorno de ojos y la boca.

Impregna 2 círculos de algodón en la infusión de laurel que has reservado y aplícalos sobre los ojos. Deja actuar la mascarilla durante 20 minutos. Aclárate con agua abundante.

Mascarilla de miel para todo tipo de pieles

INGREDIENTES: 3 cucharadas de postre de miel, 4 cucharadas soperas de yogur, unas gotas de zumo de limón.

PREPARACIÓN: en un recipiente, mezcla la miel, el yogur y el limón removiendo constantemente hasta que obtengas una crema homogénea. Aplícate la mascarilla sobre la piel limpia y seca con ayuda de un pincel, evitando el contorno de ojos y la boca. Déjala actuar durante 15 minutos y aclárate con agua abundante.

La crema exfoliante

Para que el cutis tenga un aspecto luminoso es imprescindible liberarlo regularmente de las células muertas que se acumulan en la epidermis, que apagan su brillo e impiden su correcta oxigenación. Por ello, cada dos o tres semanas, dependiendo de tu tipo de piel, debes aplicarte una crema exfoliante para eliminar las células muertas y ayudar a renovar tu piel.

Todas las recetas de belleza de mi abuela que encontrarás a continuación contienen agentes engrasantes para evitar que tu piel se reseque y no tienen nada que envidiar a los preparados cosméticos industriales.

Crema exfoliante para piel seca

INGREDIENTES: 2 cucharadas soperas de harina de avena, 1 cucharada sopera de talco, 2 cucharadas soperas de aceite de almendras, 2 cucharadas soperas de agua de rosas.

PREPARACIÓN: en un recipiente, diluye la harina de avena y el talco con el agua de rosas y remueve bien. Añade el aceite de almendras y sigue removiendo hasta que obtengas una pasta homogénea.

Aplícate esta crema exfoliante sobre la piel limpia y seca con la yema de los dedos, evitando el contorno de ojos y la boca. Realiza suaves masajes circulares con la yema de los dedos, insistiendo en la zona de la nariz, de la frente y del mentón. Aclárate con agua abundante, sécate y aplícate una crema hidratante.

Crema exfoliante para piel normal

INGREDIENTES: 3 cucharadas soperas de harina de avena, 1 cucharada sopera de miel líquida, 2 cucharadas soperas de agua de rosas.

PREPARACIÓN: en un recipiente, diluye la harina de avena con el agua de rosas, añade la miel líquida y sigue removiendo hasta que obtengas una pasta homogénea.

Aplícate este crema exfoliante con la yema de los dedos sobre la piel limpia y seca, evitando el contorno de ojos y la boca. Realiza suaves masajes circulares con la yema de los dedos, insistiendo en la zona de nariz, frente y mentón. Aclárate con agua abundante, sécate y aplícate una crema hidratante.

Crema exfoliante para piel grasa

INGREDIENTES: 1 cucharada sopera de azúcar blanco, 1 cucharada sopera de harina de maíz, 2 cucharadas soperas de agua de rosas, 2 gotas de aceite esencial de limón.

PREPARACIÓN: en un recipiente, mezcla el azúcar y la harina de maíz con el agua de rosas hasta que obtengas una pasta homogénea. Añade el aceite esencial de limón y mézclalo bien.

Aplícate la crema sobre la piel limpia y seca con la yema de los dedos, evitando el contorno de ojos y la boca. Realiza un suave masaje con la yema de los dedos insistiendo en la zona de nariz, frente y mentón. Aclárate con abundante agua, sécate y aplícate una crema hidratante.

Jabón exfoliante para el cuerpo

La piel del cuerpo también acumula células muertas que apagan su brillo y le dan un aspecto rugoso y deshidratado. Este jabón exfoliante te permitirá eliminar fácilmente la piel seca mientras tomas un baño o una ducha.

INGREDIENTES: 1/4 kg de jabón de glicerina vegetal de calidad, 50 g de harina de avena, 2 cucharadas soperas de aceite de almendras.

PREPARACIÓN: corta el jabón en trozos pequeños, ponlo en un cazo y derrítelo al baño María. Añade la harina de avena y el aceite de almendras y remueve constantemente con una espátula de madera hasta que obtengas una pasta homogénea. Retira el cazo del fuego y deja enfriar la preparación sin dejar de remover. Guarda el jabón en un tarro de cristal con tapón de rosca.

Pon una pequeña cantidad de jabón exfoliante en la palma de la mano y realiza un suave masaje insistiendo especialmente en codos, rodillas y pies. Aclara con agua abundante.

Crema exfoliante instantánea para el cuerpo

Si no tienes tiempo de preparar el jabón exfoliante, conseguirás una piel suave con estos productos básicos:

INGREDIENTES: 100 g de azúcar blanco, 100 g de sal fina, 1 taza de leche fría.

PREPARACIÓN: en un recipiente, mezcla el azúcar blanco, la sal fina y la leche hasta que obtengas una pasta homogénea. Pon pequeñas cantidades de esta crema exfoliante en la palma de la mano y aplícala sobre todo el cuerpo realizando un suave masaje. Aclárate con agua abundante.

Para obtener el máximo de efecto no hay nada como tomar antes un baño bien caliente que ablande las pieles muertas y dilate los poros. Al finalizar, aplícate una crema hidratante.

El cuidado de los ojos

Hemos oído decir una y mil veces que los ojos son el espejo del alma. Al margen de tópicos, lo cierto es que los ojos son los que otorgan expresividad al rostro pero también acusan de forma muy especial el paso del tiempo, el cansancio, la falta de sueño o cualquier otra alteración fisiológica.

A continuación, encontrarás una serie de recetas de belleza a base de productos naturales que te ayudarán a conservar una mirada joven.

Crema hidratante para el contorno de los ojos

INGREDIENTES: 2 cucharadas soperas de semillas de linaza, 4 cucharadas soperas de aceite de aguacate, 10 g de cera de abejas, 20 g de lanolina.

PREPARACIÓN: en un mortero, machaca las semillas de linaza. Pon a hervir el agua, añade las semillas de linaza y retíralo del fuego. Deja enfriar el agua, fíltrala y resérvala.

Calienta el aceite de aguacate, la cera de abejas y la lanolina en un cazo al baño María, removiendo constantemente con una espátula de madera. Retira el cazo del fuego, añade el agua de hervir las semillas de linaza y remueve bien. Una vez fría, guarda la crema en un tarro de cristal con tapón de rosca.

Cataplasma para las bolsas debajo de los ojos

INGREDIENTES: 1 patata cruda, agua de rosas, 1 gasa.

PREPARACIÓN: pela y raya muy finamente la patata. Añade un poco de agua de rosas, remueve bien y extiende la mezcla sobre una gasa o un trocito de tela.

Aplícate directamente el emplaste de patata sobre los ojos durante 20 minutos, permaneciendo en posición estirada.

Aceite fortificante para pestañas
INGREDIENTES: 1 cucharada sopera de hojas de nogal, 2 cucharadas soperas de aceite de ricino.
PREPARACIÓN: lava y seca las hojas de nogal. Introdúcelas en un recipiente de cristal, añade el aceite de ricino y déjalo macerar durante 3 días. Filtra el aceite exprimiendo las hojas para extraer toda su sustancia y vierte el aceite en un pequeño frasco de cristal oscuro.

Con ayuda de un bastoncillo o de un cepillo para pestañas aplícate cada noche un poco de este aceite sobre las pestañas, procurando que no entre en los ojos.

Colirio natural
Este colirio natural sustituye ventajosamente a los preparados farmacéuticos que en su mayoría contienen antibióticos:
INGREDIENTES: 1 cucharada de postre de eufrasia, 1 cucharada de postre de caléndula, unas gotas de limón, 1 taza de agua, gasas.
PREPARACIÓN: pon a hervir el agua en un cazo. Retíralo del fuego y añade la eufrasia y la caléndula. Cubre el cazo y déjalo reposar durante unos minutos. Filtra la infusión y añade un par de gotas de limón.

Límpiate los ojos con ayuda de unas gasas impregnadas en esta solución.

El cuidado de las manos

La piel de las manos es más gruesa que la del resto de cuerpo, razón por la cual tiene tendencia a acumular asperezas y rugosidades. Por otra parte, al estar siempre expuesta, es fácil que la piel de las manos se reseque y agriete por el frío, el viento y el sol. A estos factores climáticos se añaden las tareas domésticas que exigen el contacto continuo con el agua y el jabón, unas sustancias que acaban dañando la capa ácida protectora de la piel.

Mi abuela afirmaba que su gran coquetería habían sido siempre sus manos y que pese a los duros trabajos que había realizado a lo largo de su vida, las había conservado siempre suaves e hidratadas, cuidándolas a diario con preparados caseros.

Ciertamente, las manos son la parte del cuerpo que más delata la edad de una persona. Para impedir su envejecimiento prematuro y proteger la piel de las manos es necesario hidratarla a diario y eliminar las pieles muertas y las asperezas con una crema exfoliante.

Crema de manos nutritiva
INGREDIENTES: 50 g de manteca de cacao, 40 g de cera de abejas, 4 cucharadas soperas de aceite de almendras dulces.

PREPARACIÓN: derrite la manteca de cacao y la cera de abejas en un cazo al baño María, removiendo constantemente con una espátula de madera. Añade entonces el aceite de almendras dulces y calienta la mezcla durante unos minutos más sin dejar de remover. Retira el cazo del fuego y deja enfriar la crema removiéndola constantemente. Guárdala en un tarro de cristal opaco.

Crema blanqueante
INGREDIENTES: 15 g de glicerina, 1/2 limón.

PREPARACIÓN: en un recipiente, mezcla la glicerina con el zumo de medio limón y fricciona las manos con esta mezcla hasta que la crema haya penetrado por completo.

Crema para manos agrietadas
INGREDIENTES: 1 patata hervida, 2 cucharadas de aceite de almendras, 1 cucharada sopera de leche.

PREPARACIÓN: tritura la patata hervida y añade el aceite de almendras y la leche, mezclando los 3 ingredientes con un tenedor hasta que obtengas una pasta suave. Déjala enfriar un poco y aplícala sobre las manos como si se tratara de una crema. Déjala actuar durante 20 minutos y lávate las manos con agua abundante.

Crema de manos exfoliante instantánea
INGREDIENTES: 1 nuez de crema de manos nutritiva, 2 cucharadas de azúcar blanco.

PREPARACIÓN: mezcla la crema nutritiva y el azúcar blanco hasta que obtengas una pasta homogénea y aplícala sobre las manos realizando un suave masaje e insistiendo en las zonas más resecas. Aclárate con agua abundante y sécate las manos.

Si tus manos están muy ásperas, para reforzar el efecto de esta crema exfoliante, sumérgelas previamente durante 15 minutos en una cubeta de agua caliente en la que habrás vertido un buen chorro de aceite de almendras dulces.

El cuidado de las uñas

Complemento indispensable de unas bonitas manos son unas uñas limpias y cuidadas. Mi abuela aseguraba que con sólo mirar las uñas de una mujer podía adivinar a qué se dedicaba. En efecto, las uñas se estropean mucho con el trabajo diario y requieren unos cuidados constantes.

Aceite nutritivo para uñas quebradizas
INGREDIENTES: 4 cucharadas soperas de aceite de germen de trigo, unas gotas de limón.
PREPARACIÓN: en un cazo, calienta el aceite de germen de trigo al baño María durante unos minutos. Retira el cazo del fuego, deja enfriar un poco el aceite y añade unas gotas de limón.

Introduce cada uno de los dedos durante unos 10 minutos en este aceite nutritivo.

Crema para uñas frágiles
INGREDIENTES: 1 cucharada de aceite de oliva, 1 yema de huevo, 1 cucharada de postre de miel.
PREPARACIÓN: en un recipiente, mezcla el aceite de oliva, la yema de huevo y la miel hasta que obtengas una pasta homogénea.

Aplícate un poco de esta crema sobre cada uña, realiza un suave masaje y déjala actuar durante 30 minutos. Aclara las uñas con agua.

Crema para cutículas
INGREDIENTES: 15 g cera de abejas, 1 cucharada sopera de aceite de ricino, 3 gotas de aceite esencial de lavanda.

PREPARACIÓN: calienta la cera de abejas y el aceite de ricino en un cazo al baño María y remueve constantemente con una espátula de madera hasta que la cera de abejas se haya derretido. Retira el cazo del fuego y sigue removiendo hasta que se haya enfriado por completo. Añade entonces el aceite esencial de lavanda y remueve bien. Guarda esta crema en un tarro de cristal con tapón de rosca.

Aplícate esta crema a diario sobre las cutículas para hidratarlas y evitar que se descamen.

El cuidado de los pies

El cuidado de los pies no es una cuestión meramente estética, no hemos de olvidar que éstos soportan todo el peso del cuerpo y que su estado repercute directamente sobre la salud general.

La piel de los pies es muy gruesa y se reseca con extrema facilidad, razón por la cual es necesario hidratarla y exfoliarla con regularidad para evitar que se formen rugosidades y callosidades. Por otra parte, un baño de pies semanal ayuda a estimular la circulación sanguínea, a relajarlos y a tonificarlos.

Aceite hidratante para pies
INGREDIENTES: 25 g de manteca de cacao, 5 cucharadas soperas de aceite de almendras dulces, 4 gotas de aceite esencial de lavanda.
PREPARACIÓN: calienta la manteca de cacao con el aceite de almendras dulces en un cazo al baño María, removiendo constantemente con una espátula de madera hasta que se haya derretido la manteca de cacao. Retira el cazo del fuego y sigue removiendo hasta que la preparación se enfríe por completo. Añade entonces el aceite esencial de lavanda y remueve bien. Guarda esta crema en un tarro de cristal con tapón de rosca.

Baños para pies cansados
INGREDIENTES: 2 cucharadas soperas de romero, 1 cucharada sopera de salvia, 1 cucharada sopera de lavanda, 2 litros de agua.

PREPARACIÓN: pon a hervir el agua en un cazo. Retíralo del fuego, añade el romero, la salvia y la lavanda. Cubre el cazo y déjalo reposar durante 15 minutos. Filtra la infusión y viértela en una cubeta. Añade agua caliente e introduce los pies en ella durante 20 minutos. A continuación, sécalos y fricciónalos con una crema hidratante.

Loción para evitar el sudor de los pies

INGREDIENTES: 1 cucharada sopera de salvia, 2 cucharadas soperas de hojas de nogal, 4 cucharadas soperas de menta, 2 litros de agua.
PREPARACIÓN: pon a hervir el agua en un cazo. Retíralo del fuego y añade la salvia, las hojas de nogal y la menta. Cubre el cazo y déjalo reposar durante 15 minutos. Filtra la infusión y viértela en un barreño con agua caliente.

Introduce los pies en el barreño durante 20 minutos, dos veces a la semana.

Crema exfoliante para pies

INGREDIENTES: 2 cucharadas soperas de sal marina muy fina, 3 cucharadas soperas de avena en grano, 3 cucharadas soperas de aceite de almendras dulces.
PREPARACIÓN: en un recipiente, mezcla la sal, la avena y el aceite de almendras hasta que obtengas una pasta homogénea. Si es necesario añade un poco de agua.

Pon una pequeña cantidad de esta crema exfoliante en la palma de la mano y realiza un masaje sobre los pies, insistiendo en las zonas más resecas, como el talón y la planta.

Aumentarás la eficacia de esta crema exfoliante si antes de aplicarla sumerges los pies en un barreño con agua bien caliente durante 15 minutos o bien si tomas un baño caliente.

El cuidado del cabello

Cuando mi abuela era joven, el cabello era uno de los atributos principales de la belleza femenina. Los cánones imponían melenas de cabellos largos, sedosos y espesos, pudorosamente recogidos durante el día y que sólo se dejaban sueltos para cepillarlos largamente antes de ir a dormir.

Hoy en día, la moda del cabello ha cambiado muchísimo y han ido ganando terreno las melenas cortas aunque se sigue exigiendo que la mujer luzca un pelo sano, limpio y brillante.

Champús

El primer requisito para tener una bonita melena es que el pelo esté perfectamente limpio. Para no dañar la capa de queratina que recubre el pelo es necesario que utilices champús elaborados con productos suaves y naturales.

Un buen champú no es sólo el que limpia el pelo con suavidad, sino el que también trata los problemas que puedan afectarle, como el exceso de grasa o la caspa.

Como verás a continuación, la mayoría de los champús caseros incluyen una yema de huevo, un alimento que contiene todos los aminoácidos y los nutrientes esenciales para mantener el pelo sano y brillante.

Champú para cabello seco

INGREDIENTES: 2 cucharadas soperas de raíz de saponaria picada, 2 cucharadas soperas de aceite de coco, 1 yema de huevo, unas gotas de coñac, 2 tazas de agua.

PREPARACIÓN: en primer lugar, prepara una decocción con la raíz de saponaria picada: ponla en un cazo con el agua fría y llévala a ebullición durante 5 minutos. Retira el cazo del fuego, cúbrelo y deja reposar durante 10 minutos. Deja macerar la decocción durante toda la noche y fíltrala.

Derrite el aceite de coco en un cazo al baño María, removiendo constantemente con una espátula de madera. Cuando esté totalmente líquido, vierte la decocción de saponaria y remueve enérgicamente. Añade la yema de huevo y las gotas de coñac y remueve bien.

Aplícate este champú tibio sobre el pelo mojado, efectuando un suave masaje sobre el cuero cabelludo. Añade un poco de agua y sigue friccionando el cuero cabelludo. Deja actuar durante 5 minutos y aclara el cabello con abundante agua.

Champú para cabello normal

INGREDIENTES: 4 cucharadas de raíz de saponaria picada, 1 yema de huevo, 2 cucharadas de vinagre de sidra, 2 tazas de agua.

PREPARACIÓN: en primer lugar, prepara una decocción con la raíz de saponaria: ponla en un cazo con el agua fría y llévala a ebullición durante 5 minutos. Retira el cazo del fuego, cúbrelo y deja reposar la decocción durante 10 minutos. Fíltrala y, una vez fría, añade el vinagre de sidra y la yema de huevo, batiendo la mezcla enérgicamente.

Aplícate el champú sobre el cabello mojado, realizando un suave masaje sobre el cuero cabelludo. Añade un poco de agua y sigue friccionando el cuero cabelludo. Deja actuar 5 minutos y aclara el cabello con agua abundante.

Champú de arcilla para cabello graso

INGREDIENTES: 4 cucharadas soperas de manzanilla, 5 cucharadas soperas de tierra de batán, 5 cucharadas soperas de aceite de oliva, 2 cucharadas soperas de vinagre de sidra, 1 gota de limón, 1 taza de agua.

PREPARACIÓN: en primer lugar, prepara una infusión con la manzanilla: pon a hervir el agua en un cazo, retíralo del fuego, añade la manzanilla, cubre el recipiente y déjalo reposar durante 10 minutos. Filtra la infusión y resérvala.

En un recipiente, diluye la tierra de batán con el aceite de oliva y el vinagre de sidra, removiendo constantemente con una espátula de madera hasta que obtengas una pasta espesa. Añade la infusión de manzanilla y el limón y remueve bien. Deja reposar el champú durante 1 hora.

Aplícalo sobre el cabello mojado realizando un suave masaje sobre el cuero cabelludo. Éste no debe ser demasiado enérgico para no estimular las glándulas sebáceas. Deja actuar 5 minutos y aclara el cabello con abundante agua.

Los trucos de la abuela

- Para tener un pelo brillante, mi abuela añadía al agua del aclarado un buen chorro de vinagre, un producto que restablece el equilibrio correcto del pH y proporciona al pelo unos bonitos reflejos.

Si te desagrada el olor del vinagre puedes exprimir el zumo de medio limón y diluirlo con agua.

Mascarillas para el cabello

Al igual que la piel, el cabello se puede deshidratar y resecar, sobre todo cuando está teñido o permanentado. Por ello, es conveniente que te apliques periódicamente una mascarilla capilar para restablecer el equilibrio fisiológico del cabello.

También hay que tener en cuenta que el crecimiento del pelo tiene su propio ciclo. A un periodo de crecimiento le sigue otro de descanso hasta que finalmente el cabello se cae. Ésta es la razón por la cual hay épocas en las que el cabello cae con más intensidad y es preciso cuidarlo de forma especial para fortalecerlo.

Mascarilla para pelo reseco

INGREDIENTES: 1 yema de huevo, 1 cucharada sopera de melaza, 5 cucharadas soperas de aceite de almendras dulces.
PREPARACIÓN: en un recipiente, bate la melaza con la yema del huevo hasta que obtengas una pasta de consistencia espesa. Añade el aceite y remueve bien.

Aplícate esta mascarilla después del champú, insistiendo en los lugares más secos, como las puntas y el flequillo. Cúbrete la cabeza con una toalla y deja actuar el acondicionador durante 20 minutos. Aclárate el pelo con agua abundante.

Mascarilla para pelo teñido y permanentado

INGREDIENTES: 1/2 taza de aceite de oliva, 3 cucharadas de postre de aceite de germen de trigo, 1 yema de huevo.
PREPARACIÓN: calienta el aceite de oliva y el aceite de germen de trigo en un cazo al baño María, removiendo constantemente con una cuchara de madera. Retira el cazo del fuego, añade la yema de huevo, remueve enérgicamente y déjalo enfriar un poco.

Aplícate este aceite tibio sobre todo el pelo y péinalo para que se reparta homogéneamente desde la raíz hasta las puntas. Cúbrete la cabeza con una toalla y deja actuar la mascarilla durante 40 minutos. Lávate el pelo con tu champú habitual.

Aceite hidratante para el cuero cabelludo

INGREDIENTES: 2 cucharadas soperas de capuchina, 3 cucharadas soperas de aceite de almendras dulces, 4 cucharadas soperas de vinagre, 1 cucharada sopera de aceite de germen de trigo, 1 taza de agua.

PREPARACIÓN: en primer lugar, prepara la infusión de capuchina: pon a hervir el agua en un cazo, retíralo del fuego, añade la capuchina, cúbrelo, déjalo reposar durante 5 minutos y filtra la infusión.

Calienta el aceite de almendras dulces, el aceite de germen de trigo y la infusión de capuchina en un cazo al baño María durante 5 minutos, removiendo constantemente con una espátula de madera. Retira el cazo del fuego, vierte el aceite en una botella y añade el vinagre. Agita enérgicamente la botella para emulsionar el aceite.

Una vez frío, aplícate una pequeña cantidad sobre el cuero cabelludo y realiza un suave masaje. Deja actuar el aceite hidratante durante 20 minutos y lávate el pelo con tu champú habitual.

Lociones capilares

Para reforzar la acción del champú, mi abuela elaboraba una serie de lociones capilares a base de plantas adecuadas para cada tipo de cabello. Utilízalas después del champú, como aclarado final.

Loción capilar para cabello débil y quebradizo

INGREDIENTES: 3 cucharadas soperas de capuchina, 1 cucharada sopera de pasiflora, 1 cucharada sopera de ortiga, 1/2 litro de vinagre de sidra.

PREPARACIÓN: introduce las hojas de capuchina, de pasiflora y de ortiga en un recipiente, añade el vinagre de sidra y cúbrelo. Deja macerar esta loción durante 2 semanas, agitando el recipiente a diario. Filtra la loción, exprimiendo las hojas de las plantas para extraer toda su sustancia y viértela en una botella con tapón hermético.

Lávate el pelo de forma habitual y aplícate la loción por todo el cuero cabelludo. Déjala actuar durante 30 minutos con una toalla alrededor de la cabeza y aclárate el pelo con agua abundante.

Loción para cabello graso

INGREDIENTES: 1 cucharada sopera de hojas de menta, 2 cucharadas soperas de romero, 1 taza de vinagre, 1/2 litro de agua.

PREPARACIÓN: pon a hervir el agua en un cazo. Retíralo del fuego, añade la menta y el romero y cúbrelo. Déjalo reposar durante 15 minutos. Filtra la infusión y añade el vinagre. Vierte la loción en una botella y agítala enérgicamente para que se mezclen bien los ingredientes.

Lávate el pelo de forma habitual y aplícate la loción por todo el cuero cabelludo. Cúbrete la cabeza con una toalla, deja actuar la loción durante 15 minutos y aclárate el pelo.

Loción aclarante para cabello rubio

INGREDIENTES: 6 cucharadas soperas de flores de manzanilla, 1 limón exprimido, 1/2 litro de agua.

PREPARACIÓN: pon a hervir el agua en un cazo. Retíralo del fuego y añade las flores de manzanilla. Cúbrelo y déjalo reposar durante 10 minutos. Filtra la infusión, añade el zumo de limón y remueve bien.

Lávate el pelo de forma habitual y utiliza esta loción para dar un aclarado final al cabello.

Loción anticaspa

INGREDIENTES: 3 cucharadas soperas de ortiga, 4 cucharadas soperas de salvia, 1/2 litro de agua.

PREPARACIÓN: pon a hervir el agua en un cazo. Retíralo del fuego y añade la ortiga y la salvia. Cubre el recipiente y déjalo reposar durante 10 minutos. Filtra la infusión y déjala enfriar.

Aplícate esta loción después de tu champú habitual, friccionando el cuero cabelludo. Cúbrete la cabeza con una toalla, déjala actuar durante 15 minutos y aclárate el pelo.

Fijador casero

Cuando mi abuela era joven, las mujeres llevaban el pelo recogido y se hacían suaves hondas en la parte delantera de la cabeza. Las más coquetas hasta se dibujaban un caracolillo sobre la frente o a los lados, en el más puro estilo Estrellita Castro. La economía de posguerra no daba para mucho y las mujeres se preparaban en casa el siguiente fijador:

INGREDIENTES: 4 cucharadas soperas de azúcar, 1 chorrito de cerveza, 1 cucharada sopera de aceite de almendras dulces, 2 tazas de agua.

PREPARACIÓN: pon a hervir el agua en un cazo. Retíralo del fuego, añade el azúcar, remueve bien y déjalo enfriar. Añade la cerveza y el aceite de almendras dulces y vierte la loción en una botella. Agítala para emulsionar el líquido.

Aplícate este fijador sobre el pelo húmedo y dale la forma que desees con un peine o con los dedos.

Los consejos de la abuela
para tener un cabello sano

Curiosamente, la mujer de hoy utiliza un sinfín de productos para nutrir, suavizar y enriquecer su cabello que apenas logran contrarrestar los efectos de otros, como los tintes, los baños de color, las espumas, los geles o el exceso de secador que no hacen sino estropearlo.

Para tener un cabello sano y bonito, sigue estos consejos de la abuela:

- El mejor sistema para secarse el pelo es dejarlo al aire libre. Si, por razones obvias, tienes que utilizar el secador, selecciona siempre una temperatura moderada y no acerques demasiado el aparato al cabello.
- No abuses de lacas y geles, unos productos cuyos componentes químicos acaban dañando el pH del cabello.
- La dieta influye directamente sobre la salud del cabello. El consumo excesivo de grasas animales y de hidratos de carbono así como el tabaco y el alcohol repercuten negativamente en el aspecto del cabello.

El agua de colonia de mi abuela

Mi abuela tenía por costumbre preparar ella misma su propia agua de colonia. Siempre tenía una botellita de esta fragancia sobre su tocador y la utilizaba a diario para perfumar su cuello, el dorso de su muñeca y el pañuelo bordado que siempre guardaba en uno de sus bolsillos. En cuanto te acercabas a ella, su aroma fresco y suave te invadía:

INGREDIENTES: 4 cucharadas soperas de pétalos de rosa, 150 cl de alcohol de 90º, 2 cucharadas soperas de lavanda, 1 cucharada sopera de romero, 1 cucharada sopera de hierbabuena, 1 piel de naranja, 2 tazas de agua.

PREPARACIÓN: en primer lugar, introduce los pétalos de rosa en un recipiente de cristal y añade el alcohol. Déjalo macerar durante 10 días, fíltralo y resérvalo.

Prepara una infusión con la lavanda, el romero, la hierbabuena y la piel de naranja, a la que habrás retirado previamente la parte blanca: pon el agua a hervir en un cazo, retíralo del fuego, añade las plantas y cúbrelo. Déjalo reposar durante 10 minutos y filtra la infusión.

Una vez fría, mezcla la infusión con el alcohol y viértela en una botella, agitándola enérgicamente para mezclar los distintos ingredientes.

El agua de lavanda

La más popular de todas las aguas de colonias es sin duda la de lavanda, una planta que es un auténtico regalo de la naturaleza. Utilizada desde la Antigüedad por sus distintas propiedades medicinales, especialmente antisépticas, la lavanda desprende un aroma fresco y floral único. Atrévete a preparar tu propia agua de lavanda del siguiente modo:

INGREDIENTES: 4 puñados de pétalos de rosa, 1 cucharada sopera de aceite oloroso de lavanda, 1/4 litro de alcohol de 90º.

PREPARACIÓN: introduce los pétalos de rosa en un recipiente de cristal con tapón. Añade el aceite oloroso de lavanda y el alcohol. Agita el recipiente enérgicamente para que todos los ingredientes se mezclen bien. Déjalo macerar durante 1 mes al abrigo de la luz y del calor, agitándolo a diario. Tras ello, filtra el alcohol y viértelo en una botella cerrada herméticamente.

Desodorante natural

Mi abuela no compró nunca desodorantes comerciales, sino que elaboraba ella misma en casa su propia loción desodorante a base de plantas de acción aromática y desinfectante:

INGREDIENTES: 4 cucharadas soperas de romero, 4 cucharadas soperas de salvia, 1 taza de vinagre de sidra, 4 cucharadas soperas de alcohol etílico.

PREPARACIÓN: introduce el romero y la salvia en un recipiente de cristal, añade el vinagre de sidra y deja macerar la mezcla 2 semanas. Al cabo de este plazo, filtra la preparación, exprimiendo las plantas para que liberen toda su sustancia y vierte el líquido en una botella que tenga pulverizador. Añade el alcohol etílico y agita enérgicamente la botella.

tercera parte

El hogar

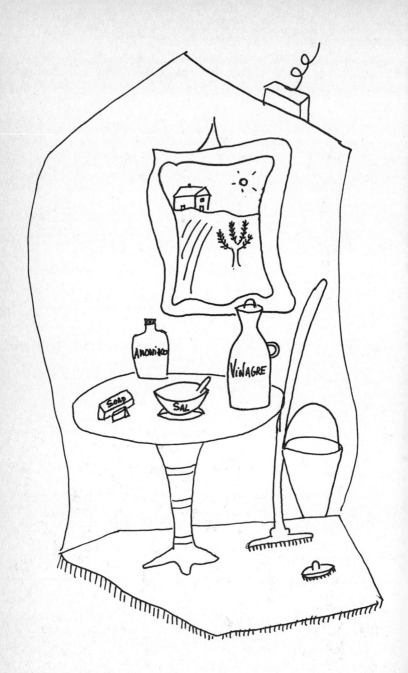

La casa de mi abuela

Trucos y remedios de ayer para el hogar de hoy

Cuando yo era niña, la casa de mi abuela era para mí como un verdadero mundo en miniatura, como un refugio cálido a la vez que misterioso. Sus paredes albergaban un sinfín de anécdotas e historias sobre la juventud de mi abuela, sobre el abuelo que no llegué a conocer, sobre la infancia de mi madre, sobre un mundo y un estilo de vida que no existían ya sino en el recuerdo.

Pero la casa de mi abuela era también color y olor. En primer lugar el blanco, omnipresente por las paredes pintadas de cal cada semana santa y por la luz del sol filtrándose a través de unos visillos inmaculados. Un blanco deslumbrante matizado por la calidez del barro cocido del suelo, por el color albero de algunas paredes y por la patina de los muebles antiguos. Esta armonía de blancos y ocres quedaba realzada por algunos toques de azul añil aportados por los marcos de las puertas y por los azulejos del patio.

Además de esta paleta de colores tan definida, la casa de mi abuela tenía también su propio olor. Y es que yo creo que las casas son como las personas, que tienen su propia alma, impregnada por la personalidad de quien las habita, pero también su propio olor. El de casa de mi abuela era fantástico, una mezcla de distintos aromas deliciosos... a cera casera con la que daba brillo a los muebles, a ropa limpia secada al sol, a lavanda y a la menta que se escapaba al abrir un armario o a membrillo maduro con el que perfumaba el comedor.

A medida que fui creciendo, descubrí que tras esos colores y esos olores que tanto me gustaban estaba la mano de una, ama de casa exigente y conocedora de una multitud de trucos y remedios caseros para el hogar, ya sea para sacar brillo a los metales o para proteger la ropa de las polillas. Con productos naturales y asequibles, con técnicas muchas veces heredadas de su propia madre, mi abuela era única para lograr que su hogar luciera sus mejores brillos.

Los productos de limpieza de mi abuela

Hoy en día, la sección de droguería de los supermercados ofrece una variedad inaudita de productos de limpieza de todo tipo, cuyos envases chillones y nombres de consonancias extranjeras están diseñados para sugerir energía y fuerza. Los hay para todos los gustos y para todas las necesidades imaginables, desde la limpieza de la vitrocerámica hasta el parquet, pasando por los azulejos y el metal.

A los ojos de cualquier ama de casa actual, el armario de productos de limpieza de mi abuela se vería sorprendentemente pobre. Marcas industriales, las mínimas, apenas dos o tres, y de las de toda la vida. Los demás recipientes correspondían a productos genéricos a granel, como el vinagre, la lejía, el amoniaco, la sal o el alcohol de quemar, además de algún que otro producto de elaboración casera, como la cera con la que daba brillo a sus muebles.

La sorpresa de esta ama de ama de casa se convertiría en perplejidad al comprobar hasta qué punto la casa de mi abuela olía a limpio y estaba impoluta allí donde se mirase. La transparencia de los cristales, el brillo de los bronces, la bonita patina de los muebles o el blanco inmaculado de los visillos y de las colchas daban fe de que mi abuela era una auténtica experta en materia de limpieza y mantenimiento del hogar.

Aun en los últimos años de su vida, mi abuela no cedió a la tentación de comprar los productos de limpieza de última generación y su armario de productos de limpieza siguió distinguiéndose por su sencillez y eficacia. En él no podían faltar estos grandes «clásicos» de la limpieza del hogar:

La lejía

La lejía es un producto de limpieza de los de toda la vida y quizá el único que no ha perdido protagonismo ante la avalancha de nuevas marcas. Utilizada pura o diluida con agua, la lejía sigue siendo el blanqueante para ropa más universal. Además de resultar imprescindible para la limpieza de la ropa blanca, su alto poder desinfectante la convierte en un producto imprescindible para la limpieza de los sanitarios, del suelo, del lavabo, de la cocina...

El amoniaco

Mi abuela siempre tenía a mano una botella de amoniaco que manejaba con sumo cuidado. Diluido en agua en proporción variable, desde unas gotas por litro de agua hasta un buen chorro, el amoniaco es un desengrasante excepcional y que además resulta muy útil para limpiar distintos materiales como el metal, el pavimento, los sanitarios... También es un clásico para la limpieza de las alfombras y las tapicerías, ya que además de eliminar la suciedad logra reavivar los colores.

¡Cuidado!: el amoniaco está compuesto por un álcali volátil muy irritante y, por lo tanto, no debes utilizarlo nunca en estado puro, sino siempre diluido con agua. También debes manipularlo con mucha precaución procurando no aspirar nunca los vapores que se desprenden de él y mantenerlo alejado de los niños.

El alcohol de quemar

El alcohol de quemar es uno de esos productos para la limpieza del hogar que prácticamente ya no se utilizan pese a su gran eficacia para limpiar distintos materiales. En concreto, el alcohol de quemar es un excelente limpiacristales, ya se trate de las ventanas, de la pantalla del televisor o del ordenador. También es un eficaz quitamanchas para eliminar manchas de tinta, de rotulador, de pegamento, de vino...

¡Cuidado!: la utilización del alcohol de quemar requiere una serie de precauciones. Como indica su propio nombre, es un líquido muy inflamable y, por lo tanto, es preciso que te abstengas de fumar al manipularlo y que lo mantengas fuera del alcance de los niños.

El blanco de España

Cuando yo era niña, recuerdo que todavía se embadurnaban los cristales de las casas recién construidas con blanco de España. En cambio, hoy en día, esta tiza pulverizada sólo se encuentra en droguerías especializadas, ya que es uno de esos productos de toda la vida que han dejado de utilizarse sin que se sepa realmente por qué. Te sorprenderá comprobar hasta qué punto el blanco de España, diluido en agua o en alcohol, resulta eficaz para desengrasar y limpiar distintos metales.

El vinagre

El vinagre es un auténtico producto multiusos. A su valor gastronómico y terapéutico, hay que sumar su eficacia para la limpieza del hogar. En concreto, el vinagre es un eficaz desengrasante y abrillantador que entra en la composición de distintos preparados caseros para la limpieza del metal, del cristal y de las alfombras. Además, resulta muy útil para eliminar los restos de cal de los azulejos y para evitar que las prendas de color destiñan al lavarse.

El cuidado de la madera

La madera posee una calidez y una belleza que ningún material sintético ha logrado igualar. Es también una materia orgánica, que requiere continuos cuidados para evitar que se reseque.

Mi abuela tenía escasos muebles y, pese a ser antiguos, ninguno de ellos era de gran valor. Eran muebles sencillos, que tenían esa belleza propia de los muebles de artesanía, fabricados con técnicas ancestrales y con madera maciza. Mi abuela cuidaba con gran mimo sus muebles, pues cada uno de ellos contenía un pedacito de su vida: estaba el arcón que heredó de su madre, la vitrina que había sido de su suegra, el dormitorio que compró de recién casada...

Eran muebles que con el paso de los años habían adquirido esa bonita patina propia de las maderas buenas y bien cuidadas. Mi abuela los limpiaba con productos sencillos, algunos de ellos de elaboración casera.

Cera casera

Mi abuela se preciaba de elaborar ella misma su cera para nutrir y dar brillo a la madera, según una receta que le había transmitido su propia madre. Era poco partidaria de utilizar las ceras existentes en el mercado y, en ningún caso, hubiera aplicado sobre sus preciados muebles los preparados en aerosol que no hacen sino engrasar y dar un brillo artificial a la madera. Lo cierto es que con esta cera casera lograba que sus muebles tuvieran una patina preciosa, a la vez que natural:

INGREDIENTES: 500 g de cera de abeja, 1/2 litro de aguarrás, 300 cl de alcohol, 1 trapo de algodón, 1 trapo de lana.

MODO DE EMPLEO: pon la cera de abeja en un recipiente, añade el aguarrás y el alcohol y deja macerar estos ingredientes durante 24 horas. Al día siguiente, remueve la mezcla con una espátula de madera hasta que obtengas una pasta homogénea. Guarda la cera en un tarro metálico con tapadera.

Para dar brillo a los muebles, utiliza un trapo de algodón que no suelte pelusa y no pongas demasiada cantidad de cera a la vez. Aplícala sobre la madera, déjala secar unos minutos y sácale brillo con un trapo de lana.

Los trucos de la abuela
- Para dar el máximo de brillo a la madera de manera más fácil y rápida, mi abuela calentaba previamente el paño de lana dejándolo unos minutos sobre la estufa. En verano, utilizaba la plancha.

Cera de pobres
Cuando mi abuela no tenía a mano su famosa cera casera, utilizaba un método tradicional para limpiar y dar brillo a la madera que en algunas regiones de España recibe el nombre de «cera de pobres». Se prepara de esta forma tan sencilla:

INGREDIENTES: 1/2 vasito de vinagre de vino, 1/2 vasito de aceite de oliva, 1 trapo de algodón, 1 trapo de lana.

MODO DE EMPLEO: en un recipiente, mezcla el vinagre y el aceite y bátelos con un tenedor. Impregna un trapo de algodón con esta mezcla y frota con ella la madera. Déjala secar unos minutos y sácale brillo con un trapo de lana.

La acción combinada del vinagre y del aceite permite, por un lado, desengrasar la madera y, por otro, hidratarla y darle brillo.

Si quieres aumentar el poder desengrasante de esta preparación, añade 1/2 taza de aguarrás.

Encerar y desencerar
Para evitar que la madera se reseque y pierda brillo, es preciso nutrirla y encerarla periódicamente con una cera de calidad. Sin embargo, al cabo de los meses, las sucesivas capas de cera acaban

acumulándose hasta el punto de que la madera ofrece un aspecto «engrasado» y mate.

Para eliminar los restos de cera reseca, mi abuela tenía un truco infalible:

INGREDIENTES: 1/2 vaso de vinagre, 1/2 vaso de agua, 1 trapo de algodón.

MODO DE EMPLEO: diluye el vinagre con el agua y con ayuda de un paño de algodón, frota la madera hasta que no quede rastro de cera.

Pero si el mueble está muy sucio, la cera muy reseca y el vinagre no logrará desengrasarla. Para esos casos, mi abuela utilizaba lejía, a razón de 1 vaso de lejía por cubo de agua caliente: no hay resto de cera que se le resista.

Limpiar la madera dorada

La madera dorada está confeccionada con una hoja de oro finísima, por lo que su limpieza requiere un cuidado especial. Mi abuela tenía algunos cuadros y fotografías con marcos dorados, que aportaban un toque cálido y luminoso al cuarto de estar de su casa. Cuando éstos perdían brillo, los limpiaba con el siguiente preparado casero:

INGREDIENTES: 1 clara de huevo, unas gotas de lejía, 1 pincel, 1 plumero, 1 trapo de piel de camello.

MODO DE EMPLEO: en primer lugar, elimina todo resto de polvo con un plumero o con un cepillo muy suave, para que no queden partículas de polvo adheridas.

Bate la clara de huevo y añádele unas gotas de lejía. Aplica la mezcla con un pincel sobre el marco: al secarse, la clara de huevo forma una especie de capa que, al retirarse, arrastra la suciedad. Para terminar, sácale brillo con la piel de camello.

Pero si el marco está muy sucio, deberás utilizar un sistema más enérgico: lávalo con una esponja mojada en agua tibia y jabón, procurando llegar a todos los recodos. Debes limpiar el marco con mucho cuidado y lo más rápido posible. Acláralo y sécalo inmediatamente, para no humedecer la capa de pasta blanca situada debajo de la hoja de oro.

Trucos para reparar la madera

- Mi abuela siempre decía que le gustaban las casas con vida y que los distintos muebles y objetos que tenía en la suya no estaban como en un escaparate sino para ser utilizados. Cuando se producía algún pequeño accidente en uno de sus muebles, nunca se enfadaba, sino que se ponía manos a la obra para repararlo con uno de estos trucos caseros:

Eliminar surcos de vasos y platos

Si se trata de un surco o de una mancha de agua reciente, las eliminarás fácilmente frotándolos con un tapón de corcho.

Cuando el surco es antiguo, deberás preparar una mezcla de gasolina y de cenizas (de madera o de cigarrillos), aplicarla con ayuda de un trapo de algodón y realizar movimientos circulares sobre la madera, desde el interior hacia el exterior.

Eliminar golpes de la madera

Si el mueble ha recibido un golpe pero la madera no se ha levantado, puedes repararla poniendo encima un trapo de algodón húmedo y presionándolo con la plancha bien caliente. Si es necesario, repite esta operación varias veces hasta que desaparezca la señal del golpe.

Eliminar rayadas de la madera

Cuando se producen pequeñas rayadas sobre la madera, las eliminarás fácilmente aplicando por encima una buena capa de vaselina, procurando que colme bien los surcos. Déjala actuar 24 horas, elimina el exceso de vaselina y encera el mueble.

Eliminar marcas de moho en los muebles

Cuando algún mueble, especialmente de jardín, se ha recubierto de moho por haber permanecido durante unos meses al exterior o en una habitación cerrada con mucha humedad, puedes devolverle su antiguo aspecto utilizando amoniaco. Impregna un trapo con amoniaco puro diluido con un poco de agua y frota enérgicamente el mueble. Repite la operación hasta que el trapo quede limpio.

La limpieza del metal

Fiel a sus raíces andaluzas, mi abuela poseía un montón de cachivaches y objetos de decoración de cobre y latón que, al igual que el resto de la casa, siempre estaban relucientes. De los años en los que había trabajado sirviendo en casas ajenas había aprendido un montón de trucos caseros para limpiar todo tipo de materiales. Los encontrarás a continuación:

El cobre y el latón

El cobre y el latón tienen un aspecto parecido, aunque los diferenciarás fácilmente si recuerdas que el cobre tiene un tono rojo-anaranjado mientras que el latón es más bien amarillo-dorado. Ya se trate de cobre o de latón los dejarás relucientes con este preparado casero de toda la vida:

INGREDIENTES: 1/2 tacita de vinagre, 1/2 tacita de sal, 1 trapo de algodón.

MODO DE EMPLEO: calienta el vinagre y la sal en un cazo durante unos minutos hasta que la sal se haya disuelto por completo. Retira el cazo del fuego, impregna un trapo de algodón en esta mezcla y frota el objeto de cobre o latón. Déjalo secar unos minutos y sácale brillo.

Los objetos antiguos de cobre o de latón se acaban recubriendo con una capa verde-gris que eliminarás fácilmente con este preparado casero:

INGREDIENTES: 1/2 taza de petróleo o de gasolina, 1/2 taza de bicarbonato, 1 trapo de algodón.

MODO DE EMPLEO: mezcla ambos ingredientes en un recipiente. Impregna un trapo de algodón en esta solución, frota el objeto de cobre o latón y déjalo secar unos minutos. Acláralo con abundante agua y sácale brillo con un trapo de algodón.

El bronce

Mi abuela tenía una estatuilla de bronce que representaba un perro labrador y a la que tenía un gran cariño, pues era un trofeo de caza que el abuelo había ganado siendo mozo. Esta estatuilla estaba siempre reluciente ya que periódicamente mi abuela la limpiaba con este preparado casero:

INGREDIENTES: agua caliente, 1/2 vaso de vinagre, 1/2 vaso de amoniaco, 1 cepillo de cerdas finas, 1 trapo de piel de camello, 1 nuez de cera incolora.

MODO DE EMPLEO: llena un pequeño barreño con agua caliente y añade el vinagre y el amoniaco. Impregna un cepillo de cerdas finas en esta solución y frota el bronce. Acláralo con agua y sácale brillo con una piel de camello.

Para que el bronce tenga una bonita patina natural, de tanto en cuando, aplícale un poco de cera incolora y sácale brillo.

El estaño

Para que los objetos de estaño no pierdan su brillo plateado, límpialos periódicamente con esta solución casera:

INGREDIENTES: 1/2 taza de blanco de España, 1/2 taza de amoniaco, un cepillo de cerdas finas.

MODO DE EMPLEO: en un recipiente, mezcla el blanco de España y el amoniaco hasta que obtengas una pasta homogénea. Aplícala sobre el objeto de estaño con ayuda del cepillo y frótalo suavemente. Déjala actuar unos minutos, acláralo con agua abundante y sécalo bien con un paño de algodón.

La plata

En el mercado encontrarás muchos productos de gran eficacia para limpiar la plata, pero tienen un inconveniente: son ligeramente abrasivos, lo cual, a la larga, acaba dañando la plata y sobre todo la alpaca.

En los años que había estado sirviendo, mi abuela aprendió a limpiar la plata con un sistema de toda la vida, menos agresivo e igualmente eficaz:

INGREDIENTES: 1 chorro de limpiavajillas, 1/2 taza de blanco de España, 2 cucharadas soperas de alcohol de quemar, 1 trapo de algodón.

MODO DE EMPLEO: en primer lugar, lava el objeto de plata con agua y limpiavajillas corriente, acláralo bien y sécalo. En un recipiente, prepara una pasta con el blanco de España y el alcohol de quemar, procurando que no quede demasiado líquida. Aplícala sobre el objeto de plata con un trapo de algodón, frótalo unos minutos, aclaralo con agua y sécalo. Sácale brillo con un trapo de algodón.

El hierro forjado
En casa de mi abuela había dos espléndidos cabezales de hierro forjado cuyos reflejos oscuros y metalizados contrastaban con la blancura de las colchas de ganchillo.

Para conservar ese brillo tan particular del hierro forjado, mi abuela lo limpiaba con este preparado casero:

INGREDIENTES: cera incolora, un trapo de algodón.

MODO DE EMPLEO: calienta ligeramente la cera al baño María para que de este modo penetre perfectamente en todas las juntas y aplícala sobre el hierro con ayuda de un trapo de algodón. Retira inmediatamente el exceso de cera, deja que se seque por completo y sácale brillo con un trapo de algodón.

El hierro forjado se deteriora si no se nutre periódicamente apareciendo entonces pequeñas placas y costras de óxido. Las eliminarás fácilmente frotándolas con lana de acero impregnada en petróleo.

La limpieza del mármol

El mármol es un material extremadamente poroso y delicado que debe limpiarse con productos que respeten su composición. Con estos preparados caseros, lograrás eliminar las manchas y darle brillo sin dañarlo.

El mármol blanco
Las encimeras de la cocina de mi abuela eran de mármol blanco y siempre estaban impolutas gracias a este preparado casero:

INGREDIENTES: 1/2 taza de agua oxigenada, litro limón exprimido, 1 esponja, 1 trapo de algodón, cera incolora.

MODO DE EMPLEO: prepara una solución con el agua oxigenada y el zumo de limón. Aplícala por toda la superficie del mármol con ayuda de una esponja húmeda. Déjala actuar toda la noche y, a la mañana siguiente, aclara el mármol con agua abundante y sécalo con un trapo de algodón. Por último, aplícale cera incolora y sácale.brillo.

El mármol de color

Para realzar las aguas y los reflejos del mármol de color y eliminar manchas, límpialo con este preparado casero:

INGREDIENTES: 1 chorro de detergente líquido, un poco de gasolina, una nuez de cera incolora.

MODO DE EMPLEO: en primer lugar, lava cuidadosamente la superficie del mármol con agua y detergente líquido. Para eliminar surcos y manchas, impregna un paño de algodón en un poco de gasolina y frota con él la superficie del mármol. Acláralo con agua y sécalo. Para darle brillo, aplica sobre toda su superficie una cera blanca incolora y sácale brillo con un trapo de algodón.

La limpieza del suelo

Actualmente, solemos limpiar el suelo de toda la casa con un mismo detergente, independientemente de su composición. Mi abuela decía que cada tipo de suelo requiere un cuidado específico y que es preciso limpiarlo con un producto que respete su composición.

El gres catalán o la tierra cocida

No utilices nunca lejía para lavar un suelo de tierra cocida, sino simplemente agua y jabón corriente. A continuación, para protegerlo y darle brillo, aplícale una capa de aceite de linaza. De esta forma, además de dar brillo al suelo, evitarás que se formen las clásicas manchas de salitre en las losetas.

El parquet y el corcho

Al igual que el suelo de tierra cocida, estos revestimientos naturales son enemigos de la lejía y de los demás detergentes químicos ya que, al ser demasiado agresivos, acaban dañándolos.

El mejor modo de limpiarlos es añadir a un cubo de agua caliente un buen chorro de vinagre, un producto natural que, además de desengrasar, da brillo al parquet y al corcho.

El suelo de linóleo

El revestimiento de linóleo no admite ni lejía, ni alcohol, ni en general ningún otro producto de limpieza demasiado agresivo. Como la mayoría de la gente, mi abuela lo limpiaba con agua caliente y detergente corriente, pero tenía su propio truco para que el linóleo recobrara todo su brillo: vertía una tacita de suavizante y detergente en el cubo de agua.

La limpieza del cristal

La limpieza del cristal, sobre todo el de las ventanas, es una de las tareas domésticas más pesadas. Mi abuela tenía una serie de trucos que hacían algo más fácil la limpieza del cristal.

Los cristales de puertas y ventanas

Cuando los cristales están realmente sucios, los limpiacristales que se venden en el mercado resultan escasamente eficaces y, por mucho que se frote con un trapo, siempre quedan marcas. Mi abuela los dejaba relucientes con este método casero de toda la vida:

INGREDIENTES: 1 parte alcohol de quemar, 1 parte de agua, 1 esponja, hojas de papel de periódico.

MODO DE EMPLEO: en un recipiente, diluye el alcohol de quemar con el agua. Con ayuda de una esponja, aplica esta solución sobre el cristal y frótalo con una bola de papel de periódico que usarás a modo de trapo. Cuando el papel esté completamente mojado, cámbialo y repite la operación hasta que el cristal quede perfectamente limpio.

Los trucos de la abuela

- Para limpiar un cristal con manchas de grasa, por ejemplo el de la cocina, diluye una cucharilla de café de almidón en 1/2 litro de agua caliente y, con la ayuda de una esponja, extiende esta solución por todo el cristal. Déjalo secar y frota el cristal con papel de periódico impregnado con un chorro de vinagre.

No limpies nunca los cristales a pleno sol, ya que el producto que utilizarías se secaría demasiado rápido y no te daría tiempo a eliminar toda la suciedad.

Las jarras, jarrones y garrafas

Es fácil que se formen depósitos calcáreos en el fondo de estos recipientes, difíciles de eliminar con el lavado habitual y que apagan el brillo del cristal. Mi abuela los dejaba relucientes con este preparado casero:

INGREDIENTES: 1 puñado de sal gruesa, 1 chorro de vinagre , agua caliente, papel de periódico.

MODO DE EMPLEO: pon un puñado de sal gruesa en el interior del recipiente de cristal, añade un buen chorro de vinagre y llénalo de agua caliente hasta arriba. Deja actuar esta solución durante unas 3 horas, agitando el recipiente de vez en cuando. Finalmente, acláralo con agua abundante, déjalo secar boca abajo y sácale brillo con papel de periódico impregnado en vinagre.

Si los restos de cal y demás sustancias están muy incrustados, dobla la proporción de vinagre y deja el recipiente en remojo durante 24 horas.

Los trucos de la abuela:

- Para despegar el tapón de cristal de una garrafa de cristal que no ha sido utilizada durante tiempo, mi abuela vertía en el cuello de la garrafa un chorrito de aceite, lo dejaba actuar unos minutos y hacía girar suavemente el tapón hasta que se desprendía.

  Para evitar que el tapón quede adherido al cuello, como mujer previsora que era, mi abuela lo frotaba con parafina antes de guardarlo.

Las aceiteras

Las aceiteras se engrasan mucho y la limpieza de su interior no resulta nada fácil. Mi abuela las dejaba relucientes con este sistema:

INGREDIENTES: 1 chorro de lejía, agua caliente, 1 chorro de vinagre, papel de periódico.

MODO DE EMPLEO: vierte la lejía en el interior de la aceitera y llénala con agua muy caliente, casi hirviendo. Déjala en remojo unas horas, aclárala y sácale brillo con papel de periódico y un chorro de vinagre.

La cristalería fina

Para las comidas de Navidad, mi madre sacaba la cristalería de Bohemia que le habían regalado cuando se casó y mi abuela era la encargada de lavarla, tarea que realizaba con sumo gusto, pues le horrorizaba que unas copas tan delicadas fueran a parar al lavavajillas. Mi abuela dejaba la cristalería reluciente con este sistema de toda la vida:

INGREDIENTES: 1 chorro de lavavajillas, 1 chorro de vinagre, trapos de algodón, 1 trapo de lino.

MODO DE EMPLEO: antes de empezar, pon un trapo en el fondo del fregadero para evitar que las copas se rompan y lávalas con agua y limpiavajillas corriente.

Una vez limpias y para que queden relucientes, añade al agua del aclarado un buen chorro de vinagre, un producto que logra disolver la cal y aporta brillo al cristal.

A continuación, pon las copas boca abajo sobre un trapo de algodón limpio y deja que el agua se escurra por completo antes de secarlas con un trapo de lino.

Las arañas de cristal

¡Mi abuela decía que el primer requisito para limpiar una araña de cristal es armarse de paciencia! Lo sabía por propia experiencia, ya que de muy jovencita había servido en una casa de alto postín donde la limpieza de la enorme araña del salón era casi un ritual. Subidas en unas escaleras altísimas, las sirvientas la limpiaban con esta solución casera:

INGREDIENTES: 2 partes de agua destilada, 1 parte de alcohol de quemar, 1 chorrito de amoniaco, 1 plumero, trapos de algodón.

MODO DE EMPLEO: en primer lugar, elimina el polvo con un plumero. Mezcla el agua destilada, el alcohol de quemar y el amoniaco en un barreño. Impregna un trapo de algodón en esta solución y limpia la araña, pieza por pieza. Sécalas con un trapo de algodón.

La porcelana

Entre los objetos familiares que más asocio a mi abuela está una vajilla de porcelana blanca adornada con pequeñas flores rosas. Fue uno de los escasos regalos que mi abuela recibió al casarse y la reservaba para las ocasiones especiales. La conservaba en perfecto estado gracias a estos remedios caseros:

- para eliminar las manchas oscuras que van apareciendo en la porcelana, frótalas con una pizca de bicarbonato sódico;
- para eliminar esas finas brechas que se forman en los platos a fuerza de usarlos, pon a hervir el plato en un recipiente lleno de leche, a fuego lento, durante unos 30 minutos, hasta que no quede rastro de ellas;
- a fuerza de utilizarlos, el interior de las tazas y teteras de porcelana blanca va adquiriendo un tono más oscuro. Para que recuperen su color original, llénalas con agua caliente y zumo de limón (o bien vinagre) durante unas horas.

La limpieza de las alfombras

Mi abuela no era partidaria de mandar las alfombras al tinte ni de utilizar una de esas espumas secas en aerosol que venden para limpiar las alfombras. Ella misma limpiaba sus alfombras con una solución casera a base de amoniaco o de vinagre, según la composición de las mismas.

Las alfombras de lana y sintéticas

El primer paso para limpiar las alfombras consiste en eliminar todo resto de polvo con una aspiradora o bien con una escoba de paja de arroz, barriéndola en el sentido del hilo del pelo. Si tu alfombra de lana es muy antigua o delicada, no conviene que utilices el aspirador ya que, a la larga, podrías romper las hebras de lana. Para acabar de eliminar todo resto de polvo, si es posible, cuélgala de las cuerdas de tender del patio y golpéala suavemente con una palmeta de mimbre.

La alfombra ya está lista para que la limpies con este preparado casero a base de amoniaco, un producto que además de desengrasar logra reavivar los colores:

INGREDIENTES: 1 cubo de agua caliente, 1 chorro de detergente líquido, 1 vaso de amoniaco, 1 cepillo de cerdas gruesas.

MODO DE EMPLEO: añade el detergente líquido y el amoniaco al cubo con agua caliente. Con ayuda del cepillo de cerdas gruesas, frota toda la superficie de la alfombra con esta solución insistiendo sobre todo en las zonas más sucias y en las esquinas, donde el polvo tiene tendencia a acumularse. Deja secar la alfombra bien plana, en un lugar ventilado.

Las alfombras de seda

Elimina el polvo como en el caso anterior, pero no utilices nunca el aspirador, sino la escoba de paja. A continuación, tratándose de una alfombra de seda es preferible que sustituyas la tradicional mezcla de agua jabonosa y amoniaco por esta solución casera menos agresiva a base de vinagre:

INGREDIENTES: 1 cubo de agua caliente, 1 chorro de detergente líquido, 1 vaso de vinagre, 1 cepillo de cerdas finas.

MODO DE EMPLEO: añade el detergente y el vinagre al cubo de agua. Con ayuda de un cepillo de cerdas finas, frota la alfombra con esta solución, insistiendo en las zonas más sucias. Déjala secar bien plana en un lugar ventilado.

Los trucos de la abuela:

- El sifón es un excelente quitamanchas para las alfombras. Vierte una pequeña cantidad de sifón sobre la mancha, déjalo actuar unos minutos y retira el exceso de agua con una esponja.

El felpudo

Mi abuela decía que el felpudo es algo así como la tarjeta de visita de una casa y que, por lo tanto, debe estar siempre impecable. Además de sacudirlo periódicamente para eliminar el polvo, lo limpiaba a fondo con este preparado casero:

INGREDIENTES: 2 puñados de sal gruesa, 1 barreño con agua caliente, 1 cepillo de cerdas gruesas.
MODO DE EMPLEO: añade la sal gruesa al barreño con agua caliente
y, con ayuda del cepillo, frota enérgicamente el felpudo a contrape-
lo. Déjalo secar en un lugar seco y ventilado.

Guardar las alfombras

Al igual que se ha hecho toda la vida, en casa de mi abuela las alfombras sólo se ponían en invierno; en cuanto llegaba el buen
tiempo, se limpiaban y se guardaban hasta el otoño siguiente.
Antes de enrollarlas, mi abuela cubría la alfombra con papel de
periódico, ponía unas cuantas bolas de naftalina y un buen puñado de plantas aromáticas por encima. De esta forma, además
de mantener alejadas las polillas, lograba perfumar agradablemente las alfombras.

La limpieza del cuero

El cuero es una materia que requiere cuidados constantes para evitar que se reseque. Mi abuela limpiaba y cuidaba el cuero con estos
remedios caseros:

- el cuero de las tapicerías de color oscuro se limpia con una solución de aceite de linaza y vinagre a partes iguales,
- el cuero de las tapicerías de color claro no puede limpiarse con la
  solución anterior, ya que aparecerían surcos o aureolas alrededor
  de las manchas. Para eliminar las manchas, mezcla una yema de
  huevo con un buen chorro de alcohol de 90º. Agita la mezcla y
  con ayuda de un paño limpio frota suavemente el cuero;
- para eliminar las manchas de grasa del cuero, frótalas suavemente con gasolina de mechero;
- si, debido a la humedad, se han formado pequeñas manchas de
  moho, elimínalas con aguarrás;
- cuando el cuero es antiguo, pueden formarse pequeñas grietas a
  lo largo de su superficie. Para rehidratarlo, prepara una solución

con 1 parte de vinagre y 2 de aceite de linaza y extiéndela por toda la superficie con ayuda de un paño de algodón.

La limpieza de las joyas

Como toda mujer de clase trabajadora, mi abuela poseía pocas joyas. Eran piezas sencillas, de escaso valor económico pero de gran valor sentimental, pues habían sido compradas con mucho esfuerzo e ilusión. Cada una de ellas poseía su propia historia, algo que las hacía todavía más hermosas a los ojos de mi abuela. Periódicamente, sacaba su pequeño joyero de madera con incrustaciones de nácar y limpiaba una a una sus joyas con estos remedios caseros:

El oro
Aunque el oro es un material precioso inalterable por definición, es preciso limpiarlo de tanto en cuando, ya que de lo contrario se va recubriendo con una capa de suciedad que apaga su brillo:
INGREDIENTES: unas gotas de amoniaco, 1 pequeño recipiente con tapadera, unas gotas de alcohol de quemar, 1 trapo de algodón, 1 trapo de piel de camello.
MODO DE EMPLEO: llena el recipiente de agua, añade las gotas de amoniaco e introduce la joya de oro en su interior durante 20 minutos. Pon la tapadera y agita el recipiente de vez en cuando. Saca la joya y aclárala con agua abundante.

Para eliminar todo posible rastro de amoniaco y de suciedad, frótala después con un paño de algodón impregnado en alcohol de quemar. Sécala y sácale brillo con una piel de camello.

¡Cuidado!: si la joya lleva una esmeralda, no debes utilizar nunca agua con amoniaco, ya que se trata de una piedra preciosa muy delicada. Para limpiarla, frótala delicadamente con un cepillo mojado en agua tibia y jabón neutro.

Los trucos de la abuela
• Las cadenas de oro, sobre todo las más largas y las más finas, se enredan con facilidad. Para deshacer el enredo, mi abue-

la las espolvoreaba con un poco de talco y las frotaba suavemente entre los dedos hasta que los nudos se deshacían por sí solos. Si quedaba algún nudo rebelde, lo desenmarañaba con todo el cuidado del mundo con ayuda de un alfiler.

La plata

La plata es uno de los metales preciosos que más se ennegrecen, sobre todo si está en contacto con la piel. Mi abuela siempre llevaba una larga cadena de plata con un reloj a modo de colgante que limpiaba periódicamente con un método casero sorprendente por su sencillez y eficacia:

INGREDIENTES: el agua de cocción de las patatas, 1 trapo de algodón fino.

MODO DE EMPLEO: sumerge la joya de plata en el agua de cocción de las patatas durante 30 minutos. A continuación, aclárala y sécala con un trapo de algodón fino.

El brillante

El brillante es una piedra preciosa que debe limpiarse periódicamente para que no se apague su brillo con este preparado casero:

INGREDIENTES: 2 cucharadas soperas de amoniaco, 1 taza de agua fría, 1 cepillo pequeño.

MODO DE EMPLEO: pon el agua y el amoniaco en un recipiente. Sumerge el brillante en esta solución durante 30 minutos, sácalo y frótalo con un pequeño cepillo. Vuelve a sumergirlo unos segundos en la solución de agua y amoniaco, sácalo y déjalo secar, sin aclararlo, sobre un papel absorbente o un trapo de algodón.

El ámbar

El ámbar es una resina fósil que va acumulando polvo y suciedad. Lo dejarás como nuevo con este preparado casero:

INGREDIENTES: alcohol de quemar, un algodón, 1 trapo de piel de camello.

MODO DE EMPLEO: impregna el algodón con un poco de alcohol de quemar y frota el ámbar hasta que el algodón salga limpio. Si la joya está muy sucia, puedes sumergirla por entero en un recipiente lleno de alcohol. A continuación, sécala con un trapo de algodón y sácale brillo con una piel de camello.

Los trucos de la abuela

- Si se te rompe una joya o una estatuilla de ámbar, puedes volver a pegar los trozos con un poco de sosa cáustica, un producto mucho más eficaz para este tipo de material que los pegamentos tradicionales.

  Pon una pequeña capa de sosa cáustica en las juntas, une los dos fragmentos y manténlos juntos con ayuda de una cinta adhesiva: la sosa cáustica produce una reacción química que vuelve a soldar las dos partes.

El coral

Mi abuela tenía los clásicos zarcillos de oro y coral sevillanos, una joya que me fascinaba cuando era niña y que hoy conservo como un auténtico tesoro.

Con el tiempo, el coral va adquiriendo un aspecto mate y deslucido. Para evitarlo, de tanto en tanto, limpio estos zarcillos tal como me enseñó mi abuela:

INGREDIENTES: 1 cucharada sopera de aguarrás, 3 cucharadas soperas de aceite de almendras dulces, 1 papel de seda, 1 piel de camello.

MODO DE EMPLEO: en un recipiente, mezcla el aguarrás y el aceite de almendras dulces, impregna un trapo de algodón en esta solución y frota suavemente el coral hasta que recupere su brillo original. Sécala inmediatamente con un papel de seda. Al día siguiente, frótala con piel de camello.

El esmalte

Mi abuela poseía un pequeño colgante de esmalte que limpiaba regularmente con este preparado casero:

INGREDIENTES: alcohol de 90°, 1 trapo de algodón.

MODO DE EMPLEO: frota el esmalte con el paño de algodón impregnado en el alcohol. Déjalo secar unos minutos y sácale brillo con un trapo de algodón.

El marfil

El marfil es un material extremadamente sensible a las condiciones de luz y de humedad. Mi abuela atesoraba un pequeño peine de marfil con un cepillo a juego, también diminuto, que le había regalado su madrina al nacer. Sin duda eran tiempos en que el marfil no estaba sometido a las restricciones que en la actualidad intentan evitar el exterminio de los elefantes. Mi abuela los limpiaba regularmente con este preparado casero:

INGREDIENTES: 1 taza de leche, agua y jabón, 1 esponja, 1 trapo de algodón.

MODO DE EMPLEO: pon la leche en un recipiente y sumerge en él la joya o el objeto de marfil durante 2 horas. A continuación, aclara el marfil con abundante agua y frótalo con una esponja impregnada en agua tibia y jabón. Sécalo inmediatamente con un trapo de algodón.

Los trucos de la abuela:

- Con los años, el marfil va adquiriendo un tono amarillo o bien marrón. Si quieres devolverle su tono original, prepara una solución con agua oxigenada y agua a partes iguales y sumerge el objeto de marfil en ella durante 30 minutos. Ten en cuenta que no puedes abusar de este sistema, ya que el agua oxigenada es una sustancia un tanto agresiva.

  Si el marfil ha perdido su brillo, aplícale una capa de aceite de almendras dulces con un pincel, déjalo secar y sácale brillo con un trapo de piel de camello.

Otros de limpieza

Mi abuela no era una esclava de la limpieza pero, como buena andaluza, le encantaba que su casa oliera a limpio y que todo en ella reluciera «como los chorros del oro». A lo largo de su vida, había acumulado un sinfín de pequeños trucos y remedios caseros para hacer más fácil y eficaz la limpieza diaria de la casa.

Limpiar las ollas quemadas

Si por algún descuido el fondo de una olla se te ha quemado, no te empecines a reparar el desaguisado frotando con un estropajo y haz lo siguiente:

- Pon nuevamente la olla sobre el fuego con un poco de agua y de detergente y déjala cocer a fuego lento hasta que los restos de comida se desprendan del fondo.

Limpiar los quemadores de la cocina

Los quemadores de la cocina resultan difíciles de limpiar por la grasa reseca que se acumula en ellos. La eliminarás fácilmente con este método casero:

INGREDIENTES: 1 limón exprimido, 1 estropajo.

MODO DE EMPLEO: diluye el limón exprimido con un poco de agua caliente. Con ayuda de un estropajo, frota los quemadores hasta que la grasa se desprenda. Te sorprenderá comprobar cómo este producto natural resulta tan eficaz como cualquier detergente y, en todo caso, mucho menos agresivo.

Limpiar el termo

Estos recipientes resultan difíciles de limpiar debido a su boca estrecha y es fácil que queden en su interior restos de bebidas, especialmente de café y de té. Para dejarlos como nuevos, límpialos periódicamente con este método casero:

INGREDIENTES: 1 puñado de granos de arroz crudo, 1 chorro de vinagre, agua caliente.

MODO DE EMPLEO: llena el termo con los granos de arroz, pon la tapadera y agítalo con fuerza. Quita los granos de arroz, vierte un buen chorro de vinagre y llénalo de agua caliente hasta arriba. Espera unos minutos, agítalo de nuevo y vacíalo. Acláralo con abundante agua.

Limpiar los cubiertos de acero

Con el tiempo, los cubiertos de acero acaban perdiendo su brillo y recubriéndose de una capa oscura. Los dejarás como nuevos con este remedio casero:

INGREDIENTES: aceite de oliva, 1 chorro de amoniaco, 1 trapo de algodón.

MODO DE EMPLEO: sumerge durante todo un día el cubierto en un recipiente con aceite de oliva. Tras ello, lávalos con agua y amoniaco y frótalos con un paño de algodón.

Para eliminar las manchas de óxido de los cubiertos de acero, frótalos con una cebolla cortada. A continuación, lávalos con agua y jabón, acláralos y sécalos.

Limpiar el hule

En casa de mi abuela se desayunaba siempre en la cocina, en una mesa recubierta por un hule, generalmente de cuadritos. Mi abuela lo limpiaba a diario con agua y jabón pero tenía su propio sistema para que le durara más y evitar que se agrietara:

INGREDIENTES: 1/2 taza de aceite de oliva, 1/2 taza de vinagre, 1 esponja 1 trapo de algodón.

MODO DE EMPLEO: en un recipiente, mezcla el aceite de oliva y el vinagre y bátelos con un tenedor. Con ayuda de una esponja, aplica esta solución sobre el hule. Déjala actuar unos minutos y seca el hule con un trapo de algodón.

Limpiar la plancha

Cuando se utiliza la plancha a temperatura muy caliente, es fácil que queden partículas de tela adheridas a la suela. Mi abuela tenía siempre su plancha en perfectas condiciones limpiándola con este truco de planchadora profesional:

INGREDIENTES: 1 vela, 1 trapo de algodón.

MODO DE EMPLEO: calienta la plancha a temperatura media y frota la suela con la punta de una vela. Sin apagar la plancha y con mucho cuidado para no quemarte, frota la superficie con un paño de algodón: al retirar la cera derretida, arrastrarás también las adherencias.

Limpiar el depósito de agua de la plancha

Si no utilizas siempre agua destilada, el depósito de agua de la plancha acaba obstruyéndose por la cal. Para limpiarlo, utiliza este truco de mi abuela:

INGREDIENTES: 1 chorro de vinagre, agua.

MODO DE EMPLEO: vierte en el depósito un buen chorro de vinagre y complétalo con agua. Pon la plancha en marcha y aprieta la tecla del vapor hasta que el depósito quede vacío. Repite la operación, pero esta vez con agua limpia.

Limpiar las manchas de óxido del wáter

Aunque se realice una limpieza escrupulosa del wáter, al cabo de los años aparecen unas manchas de óxido y por mucho que se frote con el detergente habitual no desaparecen. Las eliminarás fácilmente con esta solución casera:

INGREDIENTES: 1 limón exprimido, 2 cucharadas soperas de bórax.

MODO DE EMPLEO: mezcla el zumo de limón con el bórax y aplica esta solución directamente sobre las manchas de óxido. Déjala actuar unos minutos y frota el wáter con la escobilla.

Limpiar las teclas del piano

En casa de mi abuela había un viejo piano desafinado que ya nadie tocaba, pero que mi abuela seguía encerando y cuidando como si se utilizara a menudo. Para evitar que las teclas se volvieran amarillas, preparaba esta solución casera:

INGREDIENTES: 1 limón exprimido, 1 taza de serrín, 1 trapo de algodón.

MODO DE EMPLEO: mezcla el zumo de limón y el serrín y aplica esta pasta sobre cada tecla, procurando que no gotee entre las juntas. Déjalas secar unos minutos y sácales brillo con un trapo de algodón.

Limpiar el alabastro

Mi abuela tenía una lamparita de alabastro sobre su mesilla de noche que aportaba una nota cálida y luminosa a su dormitorio. La tenía siempre en perfecto estado limpiándola con este preparado casero:

INGREDIENTES: aguarrás, blanco de España, 1 algodón, 1 trapo de piel de camello, cera incolora.

MODO DE EMPLEO: dado que el alabastro es uno de los pocos materiales que no soporta el agua, límpialo siempre con un algodón impregnado en aguarrás.

Si está rayado, conseguirás devolverle su aspecto original colmando los pequeños rasguños con blanco de España diluido con un poco de agua. Déjalo secar y sácale brillo con una piel de camello.

Periódicamente, aplícale un poco de cera incolora para que conserve durante más tiempo su brillo.

Limpiar los naipes

Mi abuela pertenecía a una generación ajena al consumismo y que estaba acostumbrada a cuidar y reparar las cosas en vez de tirarlas y sustituirlas por otras nuevas. Así, por ejemplo, en casa de mi abuela los naipes duraban años en perfectas condiciones. Para que no se formara la clásica capa grisácea a fuerza de ir de mano en mano mi abuela los limpiaba del siguiente modo:

INGREDIENTES: agua de colonia, 1 trapo de algodón.

MODO DE EMPLEO: impregna un trapo de algodón con un poco de agua de colonia... y límpialos uno a uno. ¡Vaya paciencia!

Limpiar los muebles de mimbre

Los muebles de mimbre acaban acumulando polvo y suciedad en las juntas, difíciles de eliminar. Para no dañar la fina capa de barniz que los recubre, utiliza este preparado casero:

INGREDIENTES: 1 litro de agua, 2 puñados de sal gruesa, una esponja.

MODO DE EMPLEO: llena un barreño con el agua, añade la sal y, con ayuda de una esponja, frota el mueble insistiendo en los lugares más sucios. Si es posible, deja que el mueble se seque al sol o cerca de una fuente de calor.

Los trucos de la abuela para eliminar las manchas de la ropa

Hoy en día, cuando se mancha una prenda de vestir, la llevamos al tinte o, en el mejor de los casos, le aplicamos en casa un quitamanchas comercial, con resultados desiguales. Mi abuela era una auténtica experta para quitar las manchas de la ropa y tenía distintos remedios caseros según el tipo de mancha de que se tratara.

Las manchas de aceite o grasa

Si la mancha es reciente, espolvorea por encima polvos de talco para que éste absorba toda la grasa. Déjalo secar, frota la mancha y, si quedaran restos, elimínalos con un algodón impregnado en tricloroetileno.

Si la mancha ya está seca, frótala con un algodón impregnado en éter, con movimientos del exterior hacia el interior, para evitar que queden surcos.

Las manchas de café

Frota la mancha con una solución compuesta por una parte de alcohol de quemar, otra de vinagre blanco y otra de agua. Déjala actuar durante unos minutos y a continuación lava la prenda de forma habitual.

Las manchas de esmalte de uñas

Las manchas de esmalte de uñas se eliminan con una solución compuesta por una parte de acetona, otra de alcohol y otra de agua. Aplica esta solución sobre la mancha, frotando del exterior hacia el interior.

Las manchas de fruta

Las eliminarás fácilmente con una solución compuesta por 1 cucharada sopera de vinagre blanco y unas gotas de amoniaco. Aclárala luego con agua tibia.

Las manchas de orina

Para eliminar las manchas de orina y evitar que desprendan un olor desagradable, límpialas con una parte de vinagre y otra de agua.

Si es posible, deja secar la mancha al sol.

Las manchas de óxido

Para eliminar las manchas de óxido en una prenda, vierte unas gotas de limón directamente sobre la mancha, deja que el tejido absorba el limón y repite la operación hasta que haya desaparecido la mancha por completo. A continuación, lava la prenda con agua caliente y jabón y, si es necesario, lávala de nuevo.

Las manchas de sangre

Para eliminar las manchas de sangre de los tejidos no utilices nunca agua caliente, lo que podría fijar la mancha, sino agua fría. No quedará rastro de ella si diluyes una aspirina con una cucharada sopera de agua fría y la aplicas directamente sobre la mancha. Déjala actuar unos minutos y frota la mancha con una esponja hasta su total desaparición.

Las manchas de sangre en los colchones se eliminan impregnándolas con suero fisiológico. Déjalo actuar unos minutos y, con ayuda de una esponja humedecida en un poco de amoniaco diluido en agua, frota la mancha hasta que desaparezca por completa. Déjalo secar manteniendo la habitación ventilada.

Las manchas de té

Las manchas de té son muy difíciles de eliminar, no en vano esta sustancia se utiliza también como tinte para la ropa. Para eliminarlas, aplica una capa de glicerina sobre la mancha de té, déjala actuar durante unos minutos y a continuación lava la prenda con agua caliente y jabón.

Las manchas de tinta

Las manchas de tinta o de rotulador se eliminan frotándolas con un algodón empapado en alcohol. Si quedara algún rastro, frótala con quitaesmaltes de uñas.

Las manchas de vino

Las manchas de vino tinto recientes se eliminan recubriéndolas primero con sal, para que ésta absorba el líquido. A continuación, cepilla la mancha para eliminar los restos de sal y frótala con un trapo impregnado en leche.

Si la mancha de vino tinto ya está seca, la eliminarás frotándola con vino blanco.

Los trucos de la abuela
para blanquear la ropa

A mi abuela no le gustaba abusar de la lejía, un producto que a la larga acaba amarilleando y estropeando la ropa y, en todo caso, no la utilizaba nunca para la ropa delicada. Con los remedios caseros que encontrarás a continuación dejaba la ropa inmaculadamente blanca.

Blanqueante natural
Si quieres evitar los inconvenientes de la lejía, añade a tu detergente habitual este preparado casero para blanquear la ropa:
INGREDIENTES: 2 limones, 1 puñado de sal.
MODO DE EMPLEO: pela 2 limones procurando que la corteza quede de una sola pieza e introdúcela en el tambor de la lavadora. Añade la sal a tu detergente habitual.

Reforzarás el efecto de estos blanqueantes naturales si dejas secar tu ropa al sol.

Blanquear la ropa de casa antigua
Las mantelerías y sábanas antiguas que no se usan regularmente van adquiriendo con los años un tono amarillento. Para devolverles su blancura original, no utilices nunca lejía, que no haría sino volverlas todavía más amarillas y dañar el tejido. Lávalas con este remedio casero:
INGREDIENTES: leche cruda, un chorro de amoniaco.
MODO DE EMPLEO: antes de lavar la prenda, déjala unas horas en remojo en un barreño con leche cruda. Si la prenda es muy grande, puedes diluir la leche con agua.

Si la ropa antigua presenta manchas de humedad, las eliminarás añadiendo 1 chorrito de amoniaco al agua de lavado.

Blanquear la lana blanca
Mi abuela conservaba los jerseycitos de lana que les había puesto a mi madre y a mis tías de recién nacidas y que también habían lle-

vado otros bebés de la familia. La lana seguía estando perfectamente blanca, ya que, para evitar que se volviera amarilla, mi abuela la
lavaba con este remedio casero:

INGREDIENTES: 1 chorro de detergente para ropa delicada, 3 cucharadas soperas de agua oxigenada.

MODO DE EMPLEO: lava la prenda con agua fría y detergente para
ropa delicada y añade al aclarado el agua oxigenada. Deja la prenda
en remojo unos minutos y aclárala nuevamente.

Blanquear los visillos

Los visillos de la casa de mi abuela estaban siempre rabiosamente
blancos. Además de lavarlos regularmente, tenía su propio truco para
evitar que se vayan volviendo grises:

INGREDIENTES: 1 puñado de sal gruesa, detergente.

MODO DE EMPLEO: antes de lavar los visillos, ponlos en remojo durante un par de horas con agua fría y el puñado de sal gruesa. A continuación, lávalos con tu detergente habitual.

Los trucos de la abuela:

• Mi abuela no planchaba nunca los visillos ni las cortinas
  antes de colgarlos, sino que, todavía húmedos, los colocaba en su sitio: al secarse, por el peso de la tela desapa-
  recían todas las arrugas y el visillo recuperaba su forma
  original.

Los trucos de mi abuela para perfumar la casa y eliminar los malos olores

Mucho antes de que se pusieran de moda las velas aromáticas, las
esencias florales, los saquitos de flores secas perfumadas y demás ac-
cesorios para perfumar el ambiente, mi abuela ya ponía en práctica
una serie de pequeños trucos para lograr que su hogar oliera siempre maravillosamente bien.

Y ya lo creo que lo conseguía, pues su casa desprendía un aroma único, delicioso, compuesto por distintas esencias que armonizaban perfectamente entre sí, sin resultar nunca agobiantes o excesivas. El olor de la casa de mi abuela era el resultado de ambientadores naturales elaborados con productos naturales y con métodos sorprendentemente sencillos.

Cortezas de naranjas y mandarinas

En casa teníamos una de esas pequeñas estufas que se alimentan con leña. En invierno, mi abuela no tiraba nunca las pieles de las naranjas, mandarinas y limones, sino que las guardaba para perfumar el ambiente con este truco:

- Añade estas cortezas al fuego de la chimenea o a la estufa de leña. Al quemarse, desprenden un aroma delicioso a cítricos que perfuma toda la habitación.

Si no tienes la suerte de tener chimenea y tampoco una estufa de leña, puedes quemar una corteza de naranja del siguiente modo:

- Pela la naranja de una sola vez, recompón la forma de ésta y coloca en su interior un pequeño cirio en forma de cilindro metálico que, al arder, irá quemando suavemente la corteza de naranja.

Membrillo

Además de servir para confeccionar deliciosos dulces, el membrillo es un fantástico ambientador natural. Cuando se trasladaba a nuestra casa en otoño, mi abuela siempre nos traía del pueblo unos cuantos membrillos madurados al sol. No nos comíamos esta fruta, que se recoge en otoño, ya que la reservaba para perfumar el ambiente con este truco tan sencillo:

- Deposita el membrillo sobre el frutero del comedor y en el armario donde guardes la ropa de casa. Al irse secando, el membrillo desprende un aroma dulce que perdura durante meses.

Olla perfumada

Cuando al llegar el verano nos trasladábamos al pueblo, la casa de mi abuela desprendía un fuerte olor a cerrado. Para eliminarlo, además de abrir todas las ventanas de par en par, mi abuela tenía su propio sistema casero:

• Pon a hervir en una olla durante 20 minutos todo tipo de hierbas aromáticas, hojas de laurel, clavo de especias, lavanda, pétalos de rosa... Coloca la olla en cada una de las habitaciones que desees perfumar y deja que se impregne de vahos. Cuando la olla se enfríe, vuelve a ponerla sobre el fuego unos minutos.

Ambientador natural

Para eliminar el resto de malos olores o simplemente para perfumar el ambiente mi abuela elaboraba su propio ambientador natural:

• Pon a hervir durante unos minutos en un cazo unos clavos de olor con un buen chorro de vinagre. Acto seguido, vierte el vinagre en un pequeño recipiente de cerámica que colocarás en la habitación que desees perfumar. Al irse enfriando, el vinagre y los clavos desprenden unos vahos que perfuman agradablemente el ambiente.

Para evitar el olor a humedad en los armarios

Para evitar que los objetos guardados en vitrinas y armarios vayan cogiendo humedad, sobre todo cuando la casa deba permanecer cerrada durante un tiempo prolongado, haz lo siguiente:

• Deposita en el interior de estos muebles un recipiente lleno de sal. Al cabo de unas semanas, la sal aparecerá licuada por haber absorbido toda la humedad ambiente y entonces deberás cambiarla. También puedes poner una bolsita con arroz o bien trozos de tiza.

Para evitar el olor a naftalina y a cerrado de armarios y cajones

Sobre todo cuando se trata de un mueble antiguo y la casa ha permanecido durante un tiempo cerrada, puede ocurrir que al abrir un armario o un cajón nos venga ese olor tan característico a cerrado y a naftalina. Evitarás este pequeño inconveniente con este truco tan sencillo:

• Pon en el interior del mueble un pequeño cazo con leche hirviendo. Repite la operación 2 o 3 días hasta que el olor haya desaparecido por completo.

Trucos para evitar los malos olores en la cocina

Mi abuela decía que una casa en la que no oliera a cocina no era una casa de verdad. Lo cierto es que un suave aroma a potaje o a estofado procedente de la cocina no resulta nada molesto. Sin embargo, algunos alimentos desprenden un olor muy intenso que puede resultar hasta desagradable. Para evitar los malos olores procedentes de la cocina, utiliza estos trucos caseros:

Olor a pescado frito
Cuando frías pescado, especialmente sardinas, para evitar que el olor de la fritanga se extienda por toda la casa y permanezca durante horas en la cocina, utiliza este truco:

• Vierte un buen chorro de vinagre sobre la plancha o sartén todavía calientes en cuanto hayas terminado de freír y para que tus manos no conserven el olor a pescado lávatelas con zumo de limón.

Malos olores de la nevera
Para que la nevera no acumule malos olores, tras limpiarla a fondo, haz lo siguiente:

• Pon en su interior un vaso lleno de vinagre cuyo poder desinfectante elimina cualquier resto de mal olor.

Malos olores del horno

Si utilizas el horno para guisar un alimento con un sabor muy intenso, por ejemplo cordero, eliminarás todo rastro de olor con este sistema tan sencillo:

• Introduce en su interior unas cuantas cortezas de naranjas, mandarinas y limones y déjalos que se asen a temperatura suave durante unos minutos. Al abrir el horno, los efluvios de los cítricos habrán reemplazado el fuerte olor a cordero.

Hervir la col sin malos olores

Como a todos los niños, mi hermanos y yo no éramos demasiado aficionados a la col, la coliflor y el bróculi, verduras que sólo comíamos a regañadientes. Para que su fuerte olor durante la cocción no acabara de disuadirnos, mi abuela utilizaba este truco:

• Coloca una gran rebanada de pan sobre la olla. Éste irá absorbiendo el fuerte olor de la verdura.

Otros trucos para el hogar

Mi abuela conocía una cantidad enorme de trucos y remedios para la casa, no sólo para limpiar y evitar los malos olores sino que también, como comprobarás a continuación, tenían muchas otras aplicaciones.

Para los cajones que no abren con facilidad

Ninguno de los muebles con cajones de mi abuela tenía el moderno sistema de ruedecilla que permite abrirlos con una simple presión de los dedos. Cuando algún cajón se le resistía, mi abuela utilizaba este remedio casero:

• Quita el cajón y unta el raíl de madera con una pastilla de jabón. Lograrás el mismo efecto espolvoreando el raíl con un poco de talco.

Para planchar las corbatas

Algunas corbatas de seda requieren una precaución especial al plancharlas para evitar que la costura de la parte trasera quede marcada en la de delante. Te quedarán perfectas con este truco de planchadora:

- Introduce en el interior de la corbata un trozo de papel grueso acartonado antes de plancharla.

Para que no se pierdan agujas y alfileres

Cuando era niña, el costurero de mi abuela era uno de los objetos que más me atraían. Ovillos de todos los colores, pequeños retales de tela cuidadosamente unidos con un imperdible, dedales de varios tamaños, tizas de costurero, bolsitas transparentes con botones de todas clases... Cuando finalizaba su labor, tenía un truco que me divertía mucho para recoger agujas y alfileres:

- Guarda siempre dentro de tu costurero un pequeño imán que te permitirá recoger las agujas y alfileres que hayan caído por el suelo o dentro del costurero en un santiamén.

Para que los ramos de flores duren más

A mi abuela le encantaban las flores y le oí decir a menudo que de haber sido rica no hubiera comprado joyas ni pieles, sino que hubiera tenido la casa siempre llena de flores. Cuando le regalábamos flores las disponía con gran mimo en un jarrón y para que duraran más usaba este truco:

- Corta la punta de las flores y añade unas gotas de limón al agua del jarrón para neutralizar así la acción de la cal y de los demás detergentes. Durante los días siguientes, no cambies el agua del jarrón, limítate a añadir un poco de agua para mantener el nivel.

Para despegar los sellos de las cartas

Uno de mis hermanos era aficionado a coleccionar sellos y siempre iba pidiendo a familiares y amigos que le guardaran los sellos que recibieran. Cuando acumulaba una pequeña cantidad, se los entregaba a mi abuela para que los despegara del sobre. Para evitar que se rompan al despegarlos, utiliza este truco:

- Sumerge los sellos en un balde con agua fría durante unas horas hasta que, al reblandecerse el pegamento, se desprendan por sí solos. Deja entonces que se sequen sobre un paño limpio y listo.

Para desatascar una cremallera
Cuando una cremallera se atasca, a menudo resulta imposible abrirla por mucho que se tire hacia arriba o abajo y lo único que se consigue es romperla. Mi abuela tenía un truco infalible para las cremalleras atascadas:

- Frota la parte metálica de la cremallera por delante y por detrás con un poco de jabón de piedra hasta que la corredera se deslice por sí sola.

Para que los asientos de mimbre recuperen su forma original
Con el uso prolongado es corriente que la parte del asiento de las sillas y sillones de mimbre se quede desfondada. Antes de pensar en sustituir el trenzado, utiliza este truco de mi abuela, mucho más barato:

- Pon los asientos boca abajo y coloca una toalla mojada sobre la parte hundida presionándola hacia el exterior. A continuación, déjalos secar al sol o cerca de una fuente de calor hasta que estén del todo secos.

Para evitar que las varillas de paraguas y sombrillas se oxiden
Las varillas de paraguas y sombrillas que no se utilizan durante un tiempo prolongado acaban oxidándose. Para evitar que esto suceda, antes de guardar un paraguas o una sombrilla, utiliza este truco:

- Unta cada una de las varillas con un poco de vaselina y ciérralos cuidadosamente.

Para despegar un chicle de la ropa

En una casa con niños, no es raro ir encontrando restos de chicle por el suelo, debajo de la mesa, en la ropa, la moqueta y las alfombras. Cuando se trata de un tejido no siempre es tarea fácil despegarlos. Te resultará mucho más fácil con este truco:

- Con ayuda de un cubito de hielo, frota insistentemente el chicle adherido hasta que se endurezca. Una vez duro, el chicle se despega fácilmente de la ropa. En vez de utilizar un cubito de hielo también puedes introducir durante unos minutos la prenda en el congelador.

Para quitar el pegamento de la ropa

Si por descuido ha caído pegamento sobre una prenda y se ha secado, lo eliminarás fácilmente con este truco:

- Cubre la mancha de pegamento con un trapo de algodón y aplica encima la plancha bien caliente durante unos minutos. De este modo, el pegamento se reblandece y queda adherido al trapo de algodón. Ves cambiando el trapo hasta que quede limpio. Si queda algún resto de pegamento, elimínalo con un poco de alcohol.

Para que las medias duren más

Mi abuela todavía recordaba la época anterior a la llegada del nylon, cuando las medias eran de seda y representaban un verdadero artículo de lujo. De aquellos años, le quedaron estos trucos muy útiles para que duraran más:

- Lava siempre las medias a mano y añade al agua del aclarado una cucharada sopera de azúcar, un producto que impide que se formen carreras con tanta facilidad. Si por descuido se te hace una carrera, antes de que se extienda, pon en la punta una gota de esmalte de uñas transparente.

Cuando pese, a todas estas precauciones, se le rompían las medias, mi abuela no las tiraba sino que las guardaba para envolver con ellas la escoba y sacar el polvo de los rincones difíciles. El nylon es una fibra ideal para absorber y retener el polvo.

Para borrar la marca de un dobladillo
A medida que íbamos creciendo, mi abuela descosía los bajos de nuestra ropa y hacía un nuevo dobladillo más acorde con nuestra estatura. Con este truco lograba que no quedaran marcas del anterior dobladillo:

- Frota la marca del dobladillo con jabón de piedra, cúbrela con una hoja de papel secante y aplica por encima la plancha caliente durante unos minutos.

Para que las velas no goteen
A mi abuela le encantaba poner una velitas durante una cena o reunión familiar, no sólo por su efecto decorativo sino para que éstas absorbieran el humo de los cigarrillos. Poseía este truco infalible para evitar que la cera se derramara:

- Pon un poco de sal alrededor de la mecha.

Para que no duelan los zapatos nuevos
Al estrenar zapatos ocurre a menudo que éstos nos producen alguna rozadura. Para ablandar el cuero, utiliza este truco de la abuela:

- Frota la zona que te molesta con un algodón impregnado en alcohol de quemar. Acto seguido póntelos para adaptarlos a tu pie y, si es necesario, repite la operación.

Para que no resbalen las suelas
Cuando de niños estrenábamos zapatos nuevos con suela de cuero, mi abuela evitaba que resbaláramos con este truco:

- Frota la suela de cuero con papel de lija hasta que ésta se vuelva rugosa.

Para secar los zapatos mojados

Durante los meses más lluviosos del año, mis hermanos y yo solíamos llegar a casa con los zapatos empapados y es que en más de una ocasión nos entreteníamos jugando en algún charco camino de casa. Después de reñirnos sin demasiada convicción, mi abuela hacía que nos quitáramos los zapatos y los secaba con el siguiente truco casero:

- Rellénalos con papel de periódico arrugado, procurando respetar su forma original y ponlos cerca de una estufa o fuente de calor. Cuando estén secos, cepíllalos a fondo con betún y quedarán como nuevos.

Los remedios de la abuela contra los insectos

En una casa, la presencia de hormigas, moscas, mosquitos, cucarachas y demás insectos, además de desagradable, puede llegar a perjudicar la salud de sus habitantes. En el mercado se comercializan productos insecticidas de gran eficacia pero que siempre resultan de una alta toxicidad.

Mi abuela, mujer de campo y acostumbrada a la presencia de estos pequeños intrusos, conocía una serie de métodos caseros elaborados a base de productos naturales para combatir cada tipo de insecto mucho más inocuos que los preparados industriales e igualmente eficaces.

Los mosquitos

Durante los meses de verano y sobre todo por la noche, los mosquitos pueden convertirse en una auténtica plaga. Para que no nos picaran mientras dormíamos, o durante el día, mi abuela hacía lo siguiente:

- Coloca sobre la mesilla de noche un algodón impregnado con aceite de lavanda, de toronjil y de geranio, unos aromas que repelen a los mosquitos.

Durante el día, coloca una naranja con su piel, en la que habrás clavado previamente 2 docenas de clavos de olor, en los lugares más estratégicos de la casa, es decir, en la cocina, encima de la mesa del comedor....

Cuando llegue el buen tiempo, prepara una buena cantidad de estas naranjas y déjalas secar durante todo un mes con el clavo antes de colgarlas de una cinta. Además de ahuyentar a los mosquitos, estas naranjas absorben los malos olores y perfuman delicadamente el ambiente.

Las polillas

Abrir los armarios y cajones de mi abuela era una experiencia olfativa inolvidable. Con sólo cerrar los ojos recupero el olor a ropa limpia secada al sol y suavemente perfumada. Mi abuela lograba mantener alejadas a las polillas con este método casero:

• Pon en el interior de cajones y estantes unos saquitos de tela rellenos con hojas de menta y de lavanda secas. Además de para perfumar la ropa, estas plantas se han utilizado desde siempre para ahuyentar a las polillas, pues desprenden un aroma que éstas detestan.

Las moscas

En verano, y sobre todo en el campo, las moscas pueden resultar realmente molestas. Mi abuela lograba evitar la invasión de estas intrusas con este truco:

• Cuelga hojas de nogal cerca de las ventanas, encima de la mesa de comedor y de las encimeras de la cocina.

Las hormigas

Cuando en una casa aparecen los característicos cortejos de hormigas en busca de comida resulta muy difícil eliminarlos. Este remedio casero te lo pondrá mucho más fácil:

• Limpia a fondo las zonas por donde circulan las hormigas con vinagre y agua a partes iguales. A continuación, localiza los pequeños orificios por donde suelen introducirse, como las tuberías o los huecos de las ventanas, y rellénalos con pimienta fresca molida.

Los trucos de mi abuela para la cocina

Mi abuela era una gran cocinera, no porque supiera preparar manjares de una gran sofisticación o dificultad, sino porque cualquier plato guisado por ella, ya se tratara una sencilla ensalada o de una tortilla de patatas, resultaba delicioso y tenía ese toque especial que sólo ella sabía darle.

Ella decía que para que un plato salga bueno sólo había un secreto: hacerlo con todo el cariño del mundo, como si quisieras mimar con él a las personas que se lo van a comer. Además de este ingrediente principal, lo cierto es que conocía una serie de trucos que hacían más fácil la tarea diaria de cocinar.

Pechugas de pollo a la plancha más tiernas

La carne de la pechuga de pollo es muy rica pero, a menos que se prepare rebozada, resulta un poco seca. Las pechugas de pollo quedarán más tiernas y jugosas aunque las hagas a la plancha si utilizas el siguiente truco:

- Antes de guisarlas, déjalas unas cuantas horas en remojo con leche, 1 chorrito de limón, sal y pimienta.

Truchas más sabrosas

La trucha es un pescado barato y nutritivo pero cuya carne resulta algo insípida. Cuando mi abuela compraba trucha, se las ingeniaba del siguiente modo para que resultaran lo más sabrosas posibles:

- Antes de guisarlas, déjalas macerar durante un par de horas con 1 vasito de leche, 1/2 limón exprimido, una hoja de laurel, sal y pimienta. Luego, al freírlas, introduce en su interior 1 loncha de bacon ahumado.

Col y coliflor más suaves

Para rebajar un poco el sabor intenso de la col, la coliflor y las coles de Bruselas haz lo siguiente:

• Hierve estas verduras con abundante agua y, a mitad de la cocción, cambia el agua de cocción.

Para evitar que produzcan flatulencia, añade al agua de hervir una cucharada de café de bicarbonato.

Ya sea gratinadas con bechamel y queso, o rehogadas con ajo, perejil y bacon, ni los más reticentes podrán negar que están deliciosas.

Legumbres más tiernas

Mi abuela cocinaba de mil maravillas las lentejas, los garbanzos y las judías, conocedora de una tradición popular que sabe preparar deliciosos platos con alimentos muy sencillos y económicos. Para que las legumbres resulten más tiernas y facilitar su cocción utiliza el siguiente truco de mi abuela:

• Déjalas en remojo toda la noche anterior añadiendo al agua una cucharadita de bicarbonato.

Para evitar que se ennegrezcan las alcachofas y los champiñones

Cuando mi abuela cocinaba alcachofas o champiñones, con el fin de que no se volvieran negros y resultasen más apetitosos a la vista, utilizaba este truco:

• Rocía la verdura ya cortada con el zumo de un limón.

También puedes utilizar este truco para evitar que la fruta cortada, por ejemplo cuando preparas una ensalada de frutas, se vuelva negra.

Pelar cebollas sin lágrimas

La cebolla es un condimento imprescindible en nuestra cocina y también uno de los más pesados a la hora de pelarla y picarla, ya que los aceites esenciales que desprende provocan el inevitable lagrimeo. Evitarás llorar como una madalena al pelar cebolla con el siguiente truco:

• Pela la cebolla manteniéndola debajo del grifo de agua fría.

Para separar la clara de la yema de los huevos
A mi abuela le encantaba preparar dulces y postres que requerían separar la clara de la yema, operación que ella realizaba con suma habilidad. Pero cuando alguno de nosotros la ayudaba, nos lo ponía más fácil con este truco:

• Coloca un pequeño embudo sobre una fuente y rompe la cáscara en el borde del mismo. De esta forma la yema del huevo se quedará dentro y la clara caerá en el recipiente situado debajo, limpiamente.

Cuando para preparar algún dulce sólo utilizaba las yemas, no tiraba nunca las claras sino que las guardaba en un recipiente cerrado, añadía unas cucharadas de agua y lo ponía en la nevera. Así se conservaban perfectamente unos días y, añadiéndoles azúcar, los utilizaba para preparar deliciosos merengues.

Para montar claras a punto de nieve
Cuando mi abuela preparaba merengues y otros dulces tenía un truco infalible para montar las claras a punto de nieve con mayor facilidad:

• Añádeles una pizca de sal y mételas unos minutos en el congelador antes de batirlas.

Para aprovechar el pan
Para mi abuela, como para otras tantas personas de su generación que han vivido tiempos de guerra y de penuria, el pan era el alimento por excelencia, el que nunca podía faltar en casa. Aunque la nevera estuviera llena a rebosar, si no había pan era como si faltara lo principal...

Formaba parte de su filosofía no tirar nunca el pan del día anterior sino guardarlo para hacer sopa de pan, rayarlo... Con este truco conseguía que el pan del día anterior quedara de lo más crujiente:

- Pásalo rápidamente debajo del grifo de agua fría y después caliéntalo unos minutos al horno. ¡Buenísimo!

Para aliñar la ensalada

Cuando me dispongo a aliñar la ensalada, mi primer impulso consiste en añadir los ingredientes sin ningún orden, empezando por el que tengo más a mano. En ese preciso momento, recuerdo el truco de mi abuela para lograr que la sal se reparta uniformemente:

- En primer lugar, pon el vinagre, después la sal y por último el aceite. De esta forma, la sal se reparte uniformemente por toda la ensalada al diluirse perfectamente con el vinagre. Si en primer lugar pones el aceite, la sal tiende a apelmazarse más en determinadas partes. ¡Haz la prueba y verás!

Para que no se evapore el caldo del cocido

En los meses de invierno, mi abuela preparaba un cocido en una gran olla de cerámica roja y era una delicia llegar del colegio y percibir el olor de las verduras, de la carne y de los garbanzos cocidos a fuego lento. Para evitar que se evaporara el agua del cocido mi abuela un truco que llamaba especialmente mi atención:

- Pon la tapadera al revés, es decir boca arriba, y llénala de agua. De este modo, durante la cocción se evaporará el agua de la tapadera y no la del caldo. Además, si al finalizar la cocción decides aclarar un poco el caldo ya tienes agua caliente preparada.

Para evitar que se deshagan las morcillas del cocido

Mi abuela preparaba un cocido en toda regla y entre sus ingredientes no podía faltar un trozo de morcilla negra. Para evitar algo tan usual como es que se revienten durante la cocción, mi abuela utilizaba este truco:

* Pínchalas con un palillo de madera antes de introducirlas en la olla. Al servirlos en el plato, retira el palillo y quedarán enteritas y sabrosas.

Para que no salpique el aceite
Cuando mi abuela freía patatas, calamares u otros alimentos que requieren una gran cantidad aceite, evitaba que le salpicara el aceite con este truco:

* Pon antes un poco de sal gruesa en la sartén.

Bechamel más cremosa
No creo haber probado bechamel más cremosa que la que preparaba mi abuela. Los ingredientes, a excepción del huevo, eran los habituales al igual que las proporciones. Lo que variaba era la forma de elaborarla:

* Saca la mantequilla unas horas antes para que se reblandezca y ponla en un recipiente con la harina, la leche y un huevo entero. Bátelo todo con un minipimer, vierte la preparación en un cazo, añade sal, pimienta y un poco de nuez moscada y caliéntala a fuego lento, sin parar de dar vueltas con una cuchara de madera hasta que la bechamel dé el primer hervor. De esta forma, además de evitar la formación de grumos, obtendrás una bechamel mucho más cremosa que la preparada de forma habitual.

Tortillas de patatas más esponjosas
Existen varias escuelas para preparar una tortilla de patatas y lo cierto es que en este particular «cada maestrillo tiene su librillo». Pero puedo dar fe de que no he probado nunca tortillas de patatas más esponjosas y jugosas que las que hacía mi abuela. Éste era su truco:

* Bate las yemas y las claras por separado y, cuando las mezcles con la patata y la cebolla, añade 1 cucharilla de café de levadura.

Para evitar que la sal se apelmace

La sal suele absorber humedad y apelmazarse en el interior de los saleros. Lo evitarás con este truco tan sencillo:

- Pon en su interior unos cuantos granos de arroz.

Para pelar tomates y melocotones

En casa de mi abuela se consumía una gran cantidad de tomates maduros, una verdadera fuente de vitaminas y sales minerales. Ya sea para preparar el gazpacho veraniego, el sofrito o para hacer conservas de tomates, mi abuela lograba pelarlos con facilidad con este truco:

- Para que la piel del tomate se desprenda sin problemas, escáldalo previamente unos minutos en agua hirviendo o debajo del grifo con agua muy caliente.

Igualmente, para pelar un melocotón que no esté del todo maduro sin ayuda de un cuchillo utiliza el siguiente truco:

- Pon el melocotón unos segundos debajo del grifo de agua fría y a continuación debajo del de agua caliente hasta que la piel se desprenda fácilmente.

Para pelar huevos duros

Cuando mi abuela utilizaba huevo duro para preparar una ensaladilla, para decorar un plato o cualquier otro guiso conseguía desprender fácilmente la cáscara de la clara con este truco:

- Pon el huevo debajo del chorro de agua fría o en un recipiente con agua y dale unos golpecitos para romper la cáscara. De este modo, el agua penetra debajo de toda la cáscara ayudando a desprenderla.

Azúcar con aroma a vainilla y azúcar glas

A mi abuela le encantaba la repostería y cualquier ocasión era propicia para alegrar un postre o una merienda con un pastel. Cuando utilizaba una vaina de vainilla, por ejemplo para hacer natillas, no la tiraba nunca, sino que hacía lo siguiente:

• Lávala, sécala cuidadosamente e introdúcela en un pequeño recipiente con azúcar. Al cabo de unas semanas, la vainilla perfumará el azúcar y lo podrás utilizar para preparar futuros postres.

Cuando deseaba dar un aspecto glaseado o nevado a algún pastel, mi abuela no compraba nunca azúcar glas sino que lo fabricaba ella misma de la forma más sencilla:

• Muele durante unos minutos el azúcar corriente con el molinillo de café.

Para esterilizar las conservas

Cuando estábamos en el pueblo, mi abuela hacía acopio de tomates y pimientos procedentes de los huertos vecinos para todo el invierno. Tenía un sistema infalible para que sus conservas duraran todo el año:

• En primer lugar, limpia minuciosamente con agua caliente los tarros de cristal, llénalos con dos dedos de alcohol, ciérralos y agítalos, utilizando el mismo alcohol para cada tarro. A continuación, vierte la conserva todavía caliente en el recipiente de cristal, dejando 2 cm de espacio en la parte superior. Cierra el recipiente, ponlo boca abajo en una olla a presión en cuyo fondo habrás colocado previamente un trapo doblado. Recúbrelo con agua, cierra la olla y cuécelos a presión durante 5 minutos.

Guisos demasiados salados

Cuando mi abuela preparaba un guiso, raramente se le iba la mano con la sal, pero, si esto le sucediera, tenía un truco infalible para remediarlo:

• Coloca una cebolla pelada y cortada por la mitad durante unos minutos sobre el guiso. La cebolla libera unas esencias azucaradas que tienen el poder de neutralizar el exceso de sal.

Para que las maderas de cortar no sean tan porosas
Cuando mi abuela estrenaba una tabla de cortar, para que la madera fuera algo menos porosa y que se pudiera lavar más fácilmente, hacía lo siguiente:

- Impregna toda su superficie con un algodón empapado en aceite de girasol y déjalo secar.

Para evitar que se oxiden las paelleras
El día que mi abuela hacía paella era casi como una fiesta, ya que pocas veces he probado un arroz tan bueno como el suyo. Utilizaba una paellera que con los años se había recubierto de una patina negra y que seguramente formaba parte de éxito de la paella. Al terminar de usarla y para evitar que se oxide, hacía lo siguiente:

- Frota la paellera con un trapo impregnado en aceite de oliva y envuélvela con papel de periódico.

Índice